Cœur cerise

Dans la même série

Tome 2 : **Cœur guimauve**

Tome 3 : **Cœur mandarine**

Tome 3 1/2 : **Cœur salé**

Tome 4 : **Cœur coco**

Ce titre a été publié pour la première fois en 2010, en anglais,
par Puffin Books, (The Penguin Group, London, England),
sous le titre *The Chocolate Box Girls – Cherry Crush*.

Copyright © 2010 par Cathy Cassidy
Tous droits réservés
Traduction française © 2011 Éditions NATHAN, SEJER,
25 avenue Pierre de Coubertin, 75013 Paris
Loi n° 49-956 du 16 juillet 1949 sur les publications destinées à la jeunesse,
modifiée par la loi n° 2011-525 du 17 mai 2011.
ISBN 978-2-09-253533-2

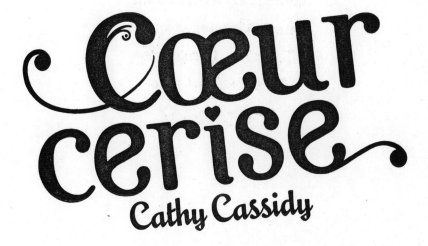

Cathy Cassidy

Traduit de l'anglais par Anne Guitton

1

Il y a des choses qui vont me manquer, quand j'aurai quitté la Clyde Academy... comme les macaronis au fromage, les frites, le pudding au sirop et à la crème anglaise, ou contempler la nuque de Ryan Clegg en cours de dessin. Mais il y a d'autres choses qui ne vont pas me manquer : les contrôles de maths, la purée de la cantine et Kirsty McRae. Kirsty McRae ne va pas du tout, mais alors pas du tout me manquer... ses copines et elle me rendent dingue.

Elles ont tout... des cheveux parfaits avec de jolis reflets et des uniformes parfaits qui viennent de chez TopShop. Elles ont de bonnes notes, elles sont populaires, les profs les aiment bien, et les garçons sont fous d'elles.

Tout le monde rêve de leur ressembler... sauf moi. Je n'ai absolument *rien* à voir avec Kirsty McRae. Mes cheveux sont tout sauf parfaits, mon uniforme est d'occasion et il y a une petite tache poisseuse sur ma jupe, là où j'ai laissé tomber mon toast à la confiture ce matin. Je n'ai pas de bonnes notes, sûrement parce que je fais mes devoirs dans le bus juste avant les cours, et les profs ne m'aiment pas, à part ma prof d'anglais qui dit que j'ai beaucoup d'imagination.

Je ne sais pas vraiment si c'est un compliment.

En tout cas, je ne vois pas ce que les autres peuvent bien trouver à Kirsty.

Elle n'est même pas sympa. Quand j'avais sept ans, je l'ai invitée à manger à la maison et elle s'est plainte qu'elle n'aimait pas les sandwichs au bacon. Ensuite, elle a demandé pourquoi mon poisson rouge avait un nom de chien. À l'époque, je ne savais pas que Rex était un nom de chien. Encore une blague de mon père.

Quand Kirsty a voulu savoir où était ma mère, j'ai répondu que je n'en avais pas.

– Sois pas idiote, a-t-elle insisté. Tout le monde a une mère. Qui te fait à manger ? Qui lave et repasse tes vêtements ?

– Bah, c'est mon père !

En fait, il ne les repasse pas vraiment. Il les secoue un peu en riant et dit que quelques plis n'ont jamais tué personne.

– Ils sont divorcés ? a-t-elle murmuré. Elle est partie, c'est ça ?

– N'importe quoi !

Kirsty a plissé les yeux.

– T'es adoptée ? Parce que tu ne ressembles pas du tout à ton père ! On dirait que t'es... je sais pas, chinoise ou japonaise, un truc comme ça.

– Je suis écossaise, comme papa !

– À mon avis, ce n'est même pas ton vrai père.

En voyant mes yeux se remplir de larmes, elle a souri. Le lundi suivant, à l'école, Kirsty a raconté que j'étais adoptée et que mon père était balayeur à la fabrique de chocolats McBean's.

C'est vrai que ça lui arrive de passer le balai, mais elle a dit ça sur un ton hyper méchant.

Non, Kirsty McRae ne va pas me manquer.

Justement, la voilà qui entre dans la cantine, entourée de sa basse-cour. Ses copines et elle passent devant tout le monde dans la file, puis s'approchent tranquillement de la table où je suis installée avec mes macaronis au fromage et mes frites. Elles ne remarquent même pas que je suis là. Elles se laissent tomber sur leur chaise devant leur assiette de salade, font voler leurs cheveux et se remettent du gloss en discutant garçons et vernis à ongles.

Hé, Julia ! s'exclame Kirsty, je parie que t'es pas cap de lancer une frite sur Miss Jardine ! Alors, cap ou pas ?

Julia attrape une frite dans mon assiette et la jette.

La frite rebondit sur le tailleur en tweed de la directrice avant de tomber par terre. Miss Jardine regarde autour d'elle en fronçant les sourcils et soudain, ses yeux se posent sur moi et ma fourchette de frites, suspendue dans les airs. Elle me fixe d'un air accusateur mais comme elle n'a aucune preuve, elle finit par se retourner. Kirsty s'écroule de rire, et je la fusille du regard.

– Qu'est-ce que tu regardes ? demande-t-elle en se renfrognant.

– Rien.

Et je ne peux pas m'empêcher de sourire. Parce que c'est exactement ce qu'elle est : rien.

– Pourquoi tu ricanes ? T'es vraiment grave, Cherry Costello !

Elle m'observe comme si j'étais une petite larve gluante qu'elle aurait trouvée dans sa salade, mais pour une fois, j'ose soutenir son regard. Je redresse le menton en souriant, ce qui a pour effet de la faire rager.

Elle se tourne vers ses copines.

– Hé, vous saviez que la mère de Cherry la trouvait tellement nulle qu'elle l'a plantée pour aller vivre de l'autre côté de la planète ? Ça te fait quoi, Cherry ? De savoir que ta mère se fichait complètement de toi ?

– Tu ne sais rien sur ma mère.

J'ai répondu très calmement, mais Kirsty rigole.

– Oh si, je sais un tas de choses. On était ensemble en primaire, tu te souviens ? Ta mère est actrice, c'est ça ? À Hollywood ? C'est ce que tu m'as dit en CE2. Ou peut-être qu'elle est créatrice de mode à New York. Ça, c'est ce que tu m'as raconté en CM1. Voyons voir, qu'est-ce qu'il y a eu d'autre ? Mannequin, chanteuse, danseuse étoile... à Tokyo, Sydney ou en Mongolie. Franchement, Cherry Costello, t'es qu'une sale MENTEUSE !

Kirsty rit et moi je la déteste, je la hais de tout mon cœur.

– Laisse tomber, Kirsty, intervient Clara.

Mais Kirsty n'a jamais su s'arrêter. Elle préfère continuer à lancer ses piques jusqu'à ce que le sang coule.

– Ta mère est toujours actrice, Cherry ? demande-t-elle d'un ton méprisant qui fait rire toutes les autres, même Julia et Clara.

Je réponds dans un souffle, les joues brûlantes :

– Non...

On dirait que toute la cantine s'est tue pour assister au massacre.

– Tout ça, Cherry, c'est des histoires que tu inventais pour te rendre intéressante, pas vrai ? Sauf que ça n'a pas marché, parce que tu es tout sauf intéressante. Comme ta mère, d'ailleurs.

J'ai mal dans la poitrine – une douleur brûlante

et amère causée par la honte. Je cherche un truc à rétorquer, quelque chose de drôle et de cinglant. Mais rien ne vient. J'ai déjà épuisé tous mes rêves, toutes mes inventions, mes mensonges, comme les appelle Kirsty. Finalement, elle a peut-être raison, même si une partie de moi y croyait vraiment à l'époque.

– Je parie que ta mère est aussi nulle que toi, conclut Kirsty d'une voix mauvaise.

Alors je repousse ma chaise et je me lève, les jambes en coton et les mains tremblantes. Je soulève mon assiette. Je ferais mieux d'aller m'asseoir à une autre table, de l'autre côté de la cantine, là où Kirsty et sa bande ne pourront plus m'atteindre.

C'est ce que je devrais faire.

Mais d'un autre côté, il est peut-être temps que cette peste comprenne ce que je pense d'elle. Après tout, je n'ai plus rien à perdre.

Je lève mon assiette encore pleine et je la renverse sur la tête de Kirsty, puis je regarde le fromage fondu des macaronis dégouliner sur ses cheveux aux reflets parfaits. Les frites dessinent des traînées grasses sur ses manches blanches et le ketchup éclabousse sa peau pâle, à croire qu'elle est barbouillée de sang.

– Oh… mon… Dieu, commente Julia.

Alors, lentement, et timidement au début, tous les élèves de la cantine se mettent à applaudir et à m'acclamer.

2

Miss Jardine n'est pas du tout impressionnée, elle. De son point de vue, il ne s'agit pas d'un geste héroïque, mais plutôt d'une «attaque vicieuse et préméditée à l'encontre d'une camarade», ce qui me paraît un peu exagéré. Franchement, si c'était prémédité, j'aurais choisi le jour de la soupe. Les macaronis au fromage, c'est un de mes plats préférés.

En tout cas, Miss Jardine est en colère : elle pince les lèvres tellement fort qu'elles disparaissent presque.

– La pauvre Kirsty est à l'infirmerie pour se faire soigner. Tu as de la chance qu'elle ne soit pas sévèrement brûlée ou en état de choc !

Je hausse un sourcil. La pauvre Kirsty ? C'est ça, ouais. Être en état de choc lui ferait sans doute du bien. Elle oublierait peut-être qu'elle a toujours été une sale peste méprisante. C'est peu probable, d'accord, mais on peut toujours rêver…

– Cherry, ton comportement est inacceptable, ajoute Miss Jardine d'un air pincé. Que t'a donc fait Kirsty McRae ?

Je cligne des yeux. Par où commencer ? Dois-je mentionner le jour où elle a jeté mes chaussettes de sport dans les toilettes et tiré la chasse d'eau, juste pour s'amuser ? Ou la fois où elle a raconté à tout le monde que mon père, déguisé en barre de chocolat géante, distribuait des Tasty Bars de chez McBean's dans le centre-ville ?

Dois-je parler de ce qu'elle fait aux autres élèves, ceux qu'elle n'aime *vraiment* pas ? Le mois dernier, en cours de dessin, elle a coupé la longue tresse de Janet McNally avec un cutter. Elle n'a même pas été punie. Et allez savoir pourquoi, c'est Janet qui a pris.

C'est dingue.

– Elle m'a traitée de menteuse.

Miss Jardine me contemple par-dessus ses lunettes.

– Menteuse... hum, c'est un mot très dur. Néanmoins, un certain nombre de professeurs et d'élèves ont déjà évoqué... comment dire... ta capacité à enjoliver la vérité.

Je sursaute. J'ai bien l'impression que la directrice vient elle aussi de me traiter de menteuse.

– Il semble que tu n'aies pas pris un très bon départ à la Clyde Academy, Cherry. J'avoue être un peu inquiète. Je sais que tu n'as pas eu une enfance ordinaire, mais cela ne doit pas servir d'excuse à toutes tes histoires. J'ai appris que la semaine dernière, tu as prétendu ne pas pouvoir rendre ton dessin à Miss Mercier parce qu'une chèvre l'avait mangé. Voyons, Cherry, une chèvre ? À Glasgow ? Tu t'attends vraiment à ce que nous avalions ce genre de sottises ?

En l'occurrence, oui, parce que tout est vrai. Ce week-end-là, mon père m'a emmenée chez d'anciens amis de son école d'art qui vivent à la campagne. J'ai passé plus d'une heure assise au soleil à dessiner le violon de papa. J'étais très fière de mon croquis. Puis, pendant le repas, la chèvre des voisins a réussi à entrer dans le jardin. Elle a mangé mon dessin, mâchouillé la nappe du pique-nique et piétiné mes lunettes de soleil. J'espère qu'elle a attrapé une indigestion.

– Si tu racontes trop de mensonges, Cherry, il arrivera un moment où les gens cesseront de te croire, poursuit Miss Jardine. Connais-tu l'histoire du garçon qui criait au loup ?

– Oui.

Elle me raconte quand même son histoire barbante sur le petit garçon qui ment tout le temps, si bien que le jour où il voit un loup et veut avertir sa famille, personne ne le croit. Et le loup le mange.

J'ai bien compris le message : si je n'arrête pas de mentir, je risque de finir mangée par un loup, et je serai la seule responsable.

– Il faut que tu te reprennes avant que la situation ne t'échappe complètement. Après les vacances d'été, je t'organiserai des rendez-vous hebdomadaires avec le psychologue scolaire. Même si l'épisode d'aujourd'hui ne te ressemble pas vraiment, c'est tout de même inquiétant. Nous voulons t'aider, Cherry. Pas seulement à résoudre ton problème de mythomanie, mais aussi à maîtriser tes crises de colère.

Mes joues deviennent écarlates. Mon problème de mythomanie ? Mes crises de colère ? Qu'est-ce qu'elle essaie de me dire ?

Je lui explique le plus poliment possible :

– Je ne serai plus là après les vacances. Mon père est tombé amoureux. Il quitte tout pour que nous allions vivre avec sa copine dans une grande maison au bord d'une falaise, dans le Somerset. Nous allons être une vraie famille, et devenir riches en vendant du chocolat bio de luxe.

Miss Jardine me dévisage d'un air apitoyé.

– Tu vois, Cherry, c'est exactement ce dont je te parle ! Comme si tu allais vivre au bord d'une falaise dans le Somerset ! Ton père travaille à l'usine McBean's, où il fabrique des Tasty Bars et trie celles qui sont ratées. Ces barres de chocolat ne sont ni bio, ni de luxe, et elles ne vont pas vous rendre riches. Je me demande bien d'où te viennent toutes ces idées saugrenues !

– Mais…

– Il me semble que ton père nous aurait prévenus de ton départ, non ?

Du bout des doigts, j'effleure la lettre de papa dans mon sac. Ça doit bien faire cinq jours maintenant qu'elle y traîne, de plus en plus froissée. Il y a une auréole dans un coin, à cause de ma bouteille de soda qui a fui hier, et j'ai fait une grosse tache de stylo bleu à côté. Ça ne sert plus à grand-chose de la donner à Miss Jardine, puisqu'elle est persuadée que le déménagement au bord de la falaise est une histoire inventée de toutes pièces.

C'est vrai que mon père travaille à l'usine de chocolats McBean's. Sauf que dans quinze jours, il va rendre son tablier et récupérer sa dernière paie avec son petit sachet gratuit de Tasty Bars ratées (celles où il manque une couche de biscuit ou la volute de chocolat blanc sur le dessus, ou bien celles qui sont ratatinées ou boursouflées). Ces barres vont me manquer, elles aussi.

On commencera alors à empaqueter mes affaires, à ranger nos vies dans des cartons et des sacs-poubelle, puis on chargera tout dans le minivan rouge de papa et on filera dans le soleil couchant. Enfin, peut-être pas, vu que papa compte partir de bonne heure le matin, mais bon, vous voyez ce que je veux dire.

Nous allons vraiment vivre au bord d'une falaise

dans le Somerset. Miss Jardine ne peut pas comprendre, ma vie est beaucoup trop bizarre pour elle.

– Plus de mensonges, Cherry ?

– Euh... non.

– Et bien entendu, j'attends que tu présentes des excuses à Kirsty McRae.

– D'accord, je réponds entre mes dents serrées.

Miss Jardine me conduit ensuite jusqu'à l'infirmerie où, blottie dans un gros fauteuil, Kirsty sirote de la limonade et grignote des biscuits.

– Rien de tel que les biscuits pour se remettre d'un choc, explique-t-elle avec un petit sourire narquois.

Je m'en fiche, parce que Kirsty a des traces de sauce dans ses cheveux caramel, et qu'il plane autour d'elle une écœurante odeur de fromage. Je suis tellement mesquine que ça me réjouit.

– Cherry a quelque chose à te dire, Kirsty, annonce Miss Jardine.

Kirsty sourit de toutes ses dents, les yeux brillants de triomphe.

– Je... je suis désolée, Kirsty.

En réalité, je suis tout sauf désolée. Miss Jardine ne voudrait tout de même pas que je mente encore ? Je dois tourner la page, devenir honnête et franche. Plus de mensonges.

Je regarde Kirsty droit dans les yeux.

– Oui, je suis vraiment désolée que... que... que

tu sois une sale petite peste, méchante, insupportable et MÉPRISANTE!

C'est à ce moment que Miss Jardine me met un avertissement et m'annonce que je suis collée, probablement jusqu'à la fin des temps.

3

Miss Jardine s'empresse évidemment d'appeler papa pour tout lui raconter. Le téléphone sonne à la minute où il rentre du travail, avant même qu'il ait eu le temps de se changer. Mes crimes sont visiblement trop graves pour qu'elle patiente une seconde de plus.

Cachée derrière la porte de la cuisine, j'écoute leur conversation.

Papa essaie d'aplatir ses cheveux ébouriffés tout en se débarrassant de sa salopette de travail et en prenant l'air grave.

Il y a beaucoup de silences, beaucoup de soupirs. Papa n'arrête pas de répéter «Je vois» d'un ton désolé. Qu'est-ce qu'elle peut bien lui raconter? Que j'ai besoin de voir un psy? Que je suis folle, violente et que je vis dans un monde irréel?

Si vous voulez mon avis, c'est plutôt elle qui a trop d'imagination.

Papa allume MTV et nous nous installons sur le canapé pour manger des haricots à la tomate sur des toasts, avec des Tasty Bars en guise de dessert. Aucun de nous deux ne prend la peine d'enlever ses chaussures.

– Miss Jardine m'a dit que tu inventais à nouveau des histoires, commence papa en mordant dans un toast. Et, apparemment, elle n'a pas reçu la lettre où je lui parle du déménagement…

Je me mords les lèvres.

– Mon stylo a fui dessus. Et ma canette de soda aussi. Alors j'ai dû lui annoncer moi-même. Elle ne m'a pas crue. Elle dit que je vis dans un monde imaginaire !

– Ce n'est pas faux, si ?

Je réponds par un sourire. Papa n'aime pas le mot «mensonge». Chaque fois que mes professeurs l'ont utilisé au fil des ans – c'est-à-dire régulièrement –, il leur a rétorqué que je n'étais pas une menteuse, mais une conteuse douée et pleine d'imagination, et que s'ils ne voyaient pas ça, ils feraient peut-être bien d'aller consulter un ophtalmo.

Ça me fait sourire, mais maintenant j'essaie d'éviter que papa vienne aux réunions parents-profs, juste au cas où.

C'est super que mon père croie en moi, me soutienne et me défende face à ces profs aigris. C'est super de savoir qu'il me trouve créative et pleine d'imagination, et pourtant, une petite voix en moi se demande si parfois, s'en tenir à la vérité ne serait pas plus simple.

Le problème, c'est que les histoires jaillissent toutes seules dans mon cerveau. Un professeur me demande où est passé mon devoir d'histoire-géo et hop, une idée fuse : notre appartement a été cambriolé la veille et la police a emporté mon devoir pour y chercher des empreintes et des traces d'ADN. Un jour, j'ai oublié mon sac de sport, alors j'ai raconté que notre machine à laver avait eu un problème et l'avait déchiqueté en petits confettis avant d'inonder la cuisine, ce qui avait fait s'écrouler le plafond des voisins du dessous.

Ça sonne quand même mieux que de dire «je l'ai oublié», c'est beaucoup plus intéressant. Et original. Et aventureux. Sauf que les professeurs ne sont pas vraiment d'accord avec moi. Ils préfèrent la vérité, même si elle est terne, grise et ennuyeuse.

C'est donc un crime d'avoir de l'imagination?

– Je lui ai tout expliqué, me rassure papa. Miss Jardine a l'impression que tu n'as pas trouvé ta place à la Clyde Academy. Elle espère que ce nouveau départ te sera profitable.

– J'ai parfaitement trouvé ma place!

Enfin, peut-être pas... mais je me suis débrouillée. Miss Jardine rend les choses bien pires qu'elles ne le sont, c'est elle qui en fait toute une histoire. En plus, rien ne serait arrivé sans Kirsty.

– En tout cas, elle l'avait bien mérité, Kirsty McRae.

Papa hausse un sourcil.

– La Kirsty qui est venue quand tu avais sept ans, qui a mangé toutes les Tasty Bars et qui t'a fait pleurer ?

– Oui, celle-là.

– Bon… peut-être, admet-il dans un soupir.

La visite de Kirsty avait provoqué une sacrée crise. Mais, bizarrement, je lui en avais été reconnaissante. Elle m'avait incitée à poser des questions auxquelles je n'avais jamais pensé jusque-là.

J'avais sept ans et je ne m'étais jamais demandé où était ma maman, ou pourquoi je ressemblais si peu à mon père et aux autres enfants de l'école.

– Est-ce que je suis adoptée ? j'ai demandé à papa quelques jours plus tard.

Il a levé les yeux au ciel, m'a prise dans ses bras et a essuyé mes larmes, puis il m'a donné une photo de ma mère. Elle était jeune, belle et elle riait ; ses cheveux noir de jais flottaient dans le vent sur la plage de Largs. Même si j'étais encore petite, j'ai su qu'un jour, je serais son portrait craché. J'avais les mêmes yeux sombres en amande, les mêmes pommettes hautes, la même peau café au lait.

Elle s'appelait Kiko et elle était japonaise. Je ne savais même pas que j'étais à moitié japonaise.

Ma mère ne m'avait jamais manqué jusqu'à ce que je voie cette photo, je vous jure que c'est vrai. Mais ensuite, je n'ai plus pensé qu'à elle. J'ai emprunté des livres sur le Japon à la bibliothèque. Je dessinais sans cesse des dames aux cheveux noirs en kimono qui faisaient tourner des ombrelles, même si ma mère portait un jean et un pull sur la photo. J'imaginais des pagodes, des cerisiers en fleurs et des samouraïs courageux.

– On va vraiment quitter Glasgow ? je demande soudain à papa.

– Oui. Plus de Miss Jardine. Plus de Kirsty McRae...

J'éclate de rire. On trinque avec nos canettes de Coca et on boit à l'avenir, puis papa essaie de zapper pour regarder le foot, alors on se bat pour la télécommande. Finalement, j'arrive à l'attraper et je la jette de l'autre côté de la pièce, où elle atterrit avec un gros plouf dans le bocal de Rex, qui lui jette un regard menaçant.

On commence doucement les cartons. La première semaine des vacances, je nettoie ma chambre et je jette à la poubelle toute une vie de jouets en plastique cassés, de BD poussiéreuses et de vieilles baskets en toile que je n'avais pas revues depuis mes sept ans. Je mets de côté un carton de livres, deux de jeux de société et de peluches et un grand sac de vêtements trop petits pour les donner à une association caritative.

Papa ajoute quelques sacs-poubelle à mon tas, charge le tout à l'arrière de son minivan et part pour la décharge, en passant par la boutique de l'association.

Le jour où papa pointe pour la dernière fois à l'usine, notre appartement est devenu étrangement vide. Même mes trésors sont bien rangés dans une grande boîte de Tasty Bars : le kimono, l'ombrelle en papier, l'éventail et la photo de maman.

Je me sens bizarre, j'ai l'impression d'être une voleuse, d'avoir emballé comme ça mes objets précieux. C'est flippant.

– Une fille a besoin de sa mère, dit toujours Mrs Mackie, notre vieille voisine. Paddy fait de son mieux, mais…

Et sa voix triste laisse la phrase en suspens.

À chaque fois, je lui réponds que certaines filles sont tout à fait capables de s'en sortir sans leur mère, il n'y a qu'à nous regarder, Paddy et moi. Je ne suis pas sûre qu'elle me croie, et elle a raison. Elle me connaît beaucoup mieux que je ne veux bien l'admettre. Évidemment que j'aimerais que ma mère soit encore là pour se comporter comme est censée le faire une maman quand sa fille entre dans l'adolescence. Une vieille photo ne sert pas à grand-chose quand on veut poser des questions sur les règles, les soutiens-gorge ou les garçons… ou comprendre pourquoi on est incapable de se faire de vrais amis.

Il y a certaines choses dont on ne peut pas parler avec son père.

Bien sûr, j'avais déjà imaginé que papa pourrait rencontrer quelqu'un. Une femme jolie et cool qui me parlerait de trucs de filles et m'emmènerait acheter des chaussures et des robes. Ou bien une femme ronde et gentille, qui me ferait des tartes aux pommes et me consolerait quand je serais triste. J'ai inventé des centaines de versions différentes de celle qui deviendrait ma nouvelle maman et, à chaque fois, j'en parlais à Kirsty McRae comme si elles étaient réelles.

Une maman, c'est ce que je voulais le plus au monde.

Mais je n'avais jamais pensé qu'elle pourrait être accompagnée.

4

Papa a repris contact avec Charlotte Tanberry grâce à un site Internet où on peut retrouver ses amis perdus de vue et leur raconter ce qu'on est devenu. Ils étaient à l'école d'art ensemble, bien avant maman, et bien avant moi.

Papa avait de grands projets à l'époque. Il voulait changer le monde, peindre des toiles sauvages et magnifiques. Il m'a montré des photos : il était maigre, avec les cheveux en broussaille et les doigts tachés de peinture – un garçon à la tête pleine de rêves.

Quant à Charlotte… elle étudiait le design et le graphisme. Comme papa, elle n'a jamais vraiment réussi. Elle est divorcée et vit dans le Somerset, où elle tient un *bed and breakfast* pour gagner sa vie.

Très vite, papa et Charlotte ont passé des heures à se remémorer le bon vieux temps. Tous les soirs, papa restait scotché à son ordinateur, occupé à flirter, échanger des messages et tomber amoureux.

Charlotte était blonde, jolie, elle avait l'air sympa et semblait rire tout le temps. De quoi faire une très bonne maman.

– Je l'aime bien, ai-je dit un jour à papa.

Il a souri et m'a confié que lui aussi. Ils ont commencé à se retrouver pour des week-ends romantiques, pendant lesquels ils partageaient leurs espoirs, leurs rêves ou leurs projets. Moi, j'allais dormir chez Mrs Mackie et je priais pour que tout se passe bien.

C'était une romance moderne, un conte de fées par Internet.

– Tu t'es déjà demandé si la vie pourrait être différente ? m'a soufflé papa un soir en balayant du regard notre appartement miteux. Si tu n'étais pas en train de passer à côté de quelque chose ?

J'ai froncé les sourcils.

– Pas vraiment.

Mais tout était déjà en train de changer sans que j'en aie conscience.

Papa travaillait chez McBean's parce que les horaires coïncidaient avec ceux de l'école. Je trouvais ça chouette au début, surtout depuis que j'avais vu Johnny Depp dans *Charlie et la chocolaterie*. Mais, en réalité, McBean's n'avait pas grand-chose à voir avec le film. Pas de rivière de chocolat, pas de bonbons inusables. Papa ne portait ni queue-de-pie violette ni haut-de-forme, juste un tablier en plastique, un filet

sur les cheveux et d'affreux gants en caoutchouc ;
quant à son travail, il était si ennuyeux qu'il en attra-
pait mal à la tête.

Un jour, en rentrant de l'école, je l'ai trouvé occupé
à confectionner des truffes en chocolat sur la table
de la cuisine. Il faisait fondre du chocolat au lait
McBean's au bain-marie.

– T'en as pas assez au boulot ?

– Ne te moque pas, a-t-il répondu. Le chocolat est
un bon filon. Si une friandise comme la Tasty Bar se
vend si bien depuis tant d'années, imagine un peu ce
qu'elle pourrait donner en version luxe. Des chocolats bio faits maison, présentés dans de jolies boîtes...
on pourrait devenir riches !

Quand j'ai jeté un coup d'œil au liquide pâteux dans
le saladier, ça ne m'a pas paru évident. Mais j'ai goûté
quelques truffes et en fin de compte, elles étaient bien
meilleures que prévu.

Le lendemain, papa en a préparé d'autres qu'il a
emballées dans une petite boîte en carton de sa fabrication, décorée à la main, doublée de papier doré et
fermée par un ruban. Il les a envoyées à Charlotte
par la poste.

Elle les a trouvées fantastiques, mais papa était certain de pouvoir faire mieux. Et, effectivement, dès
qu'il a renoncé au chocolat au lait McBean's pour en
acheter dans la gamme au-dessus, la qualité de ses

friandises maison s'est améliorée. Certains chocolats étaient carrément géniaux, comme ceux aux fraises et à la crème, ou ceux aux petits morceaux d'ananas et de mangue.

Charlotte recevait un échantillon de chaque variété. Leur histoire d'amour à distance avait la saveur du chocolat.

Qui aurait pu résister ?

Charlotte est venue à Glasgow et on est sortis tous les trois : on est allés au parc, au musée puis dans un restaurant japonais. Papa portait une veste et un tee-shirt neufs et il avait mis du gel dans ses cheveux pour essayer de les discipliner un peu. Je l'ai trouvé très beau, mon papa souriant, débraillé et adorable, avec sa tignasse brune ébouriffée et ses vieilles Doc Martens qui prenaient l'eau. Et mon petit doigt me disait que Charlotte était du même avis.

Elle riait beaucoup et comme elle n'arrivait pas à se servir des baguettes au restaurant, elle a fini par les mettre dans ses cheveux. On a veillé très tard, avachis sur le canapé, à boire des cocktails sans alcool inventés par Charlotte à base de jus de pêche, de soda à l'orange et de tranches d'ananas. Le lendemain, à la gare, elle m'a serrée fort dans ses bras, m'a demandé de prendre soin de Paddy et m'a avoué que j'allais lui manquer. J'étais si heureuse que je me suis senti pousser des ailes.

Papa était sous le charme ? Tant mieux, moi aussi.

Quelque temps plus tard, papa m'a demandé :

– Qu'est-ce que tu dirais… si on quittait Glasgow ? Pour aller vivre dans le sud de l'Angleterre avec Charlotte ? On pourrait l'aider à tenir le bed and breakfast et monter cette fameuse fabrique de chocolats. Et puis… Cherry, on serait à nouveau une vraie famille…

Qu'est-ce que j'en disais ? J'avais l'impression de recevoir tous mes cadeaux de Noël et d'anniversaire en même temps !

Pourtant, alors que le départ approche, je ne suis plus tellement sûre de moi.

Et si les choses ne se passaient pas comme prévu ? Et si la famille parfaite n'était qu'une illusion ?

Maintenant que papa ne travaille plus à l'usine, l'appartement se vide à toute vitesse. Le tas de cartons et de sacs près de la porte ne cesse de grandir. Un soir, Mrs Mackie passe nous voir, les bras chargés de cire pour les meubles, de chiffons à poussière, d'une serpillière et d'un seau rempli à ras bord d'eau savonneuse. Elle nous aide à nettoyer, balayer et briquer du sol au plafond.

– Vous allez me manquer, vous savez, déclare-t-elle d'un ton bourru pendant que papa frotte, récure à la javel, rince l'évier et que moi j'astique les robinets pour les faire briller. Vous avez toujours été de bons voisins.

– Vous aussi vous allez nous manquer, Mrs Mackie, répond papa.

Je repense à toutes les fois où elle m'a accompagnée à l'école parce que papa commençait très tôt, et toutes celles où je me suis réfugiée dans son appartement pour manger des sablés et regarder des dessins animés en attendant qu'il rentre.

Mrs Mackie serre la main de papa, puis glisse une pièce de cinquante pence toute chaude dans ma paume en me recommandant d'être une gentille fille. J'éprouve soudain une pointe de regret; j'ai envie de la prendre dans mes bras et de pleurer sur son épaule... mais je me retiens. J'essaie de me montrer courageuse. Après tout, je vais avoir exactement ce que je voulais : une maman, un nouvel avenir, une chance de faire partie d'une famille et de ressembler aux autres – à toutes les Kirsty McRae de ce monde. C'est juste beaucoup plus réel et plus effrayant que je ne l'imaginais...

Debout depuis six heures du matin, nous chargeons le minivan sous une pluie battante à force d'allers-retours épuisants. Pour un peu, il nous faudrait un chausse-pied géant pour réussir à faire rentrer tous les cartons, les valises et les sacs-poubelle à l'intérieur. Mrs Mackie nous rejoint, vêtue de sa blouse en Nylon, ses chaussons à carreaux écossais aux pieds.

Elle nous tend un sac plastique plein de sandwichs au fromage coupés en triangle et de tranches de cake pour le voyage. À ce moment, j'ai vraiment les yeux qui se remplissent de larmes.

Nous laissons derrière nous le canapé en velours marron, glissons les clés dans la boîte aux lettres du propriétaire et, à neuf heures pile, nous prenons la route.

– La pluie ne va pas me manquer, commente papa pour détendre l'atmosphère.

Moi j'ai l'impression qu'il pleut parce qu'on s'en va, parce que c'est la fin de quelque chose et que la ville est triste de nous voir partir.

À onze heures, on a déjà parcouru plus de cent cinquante kilomètres et il pleut toujours des cordes. Ça ressemble de moins en moins à un adieu et de plus en plus à un très, très mauvais présage. Et si ce déménagement dans le Sud et toute cette aventure familiale tournaient au désastre ?

Blottie sur le siège passager, la boîte contenant mes trésors à mes pieds, je tiens le bocal de Rex sur mes genoux. La joue posée contre la vitre, je regarde couler la pluie de l'autre côté, comme des larmes.

– Cet été… ce sera une sorte de test, explique papa. Pour voir si ça peut marcher. J'en suis convaincu, mais sache que tu passeras toujours la première. Si tu n'es pas heureuse… si tu ne t'adaptes pas bien…

alors, on y réfléchira à deux fois. Tu occupes la première place dans mon cœur. Cherry. J'espère que tu
le sais.

– Je le sais, je réponds doucement, même si je n'en
suis plus si sûre, et que je me demande si ça va durer.

Charlotte Tanberry est cool. Elle aime rire et porte
des baguettes chinoises dans les cheveux, mais…
il y a un léger problème. Charlotte n'a pas besoin d'une
nouvelle famille parce qu'elle en a déjà une… quatre
filles aussi jolies qu'intelligentes.

Par la fenêtre, je regarde défiler le paysage pendant
que nous laissons l'Écosse et notre ancienne vie derrière nous.

5

Après trois heures de route, la pluie cède la place à un grand soleil et un immense arc-en-ciel qui scintille au-dessus de l'autoroute. Nous nous arrêtons à une station-service pour prendre un café et un milk-shake, et manger en douce les sandwichs au fromage en les cachant sous la table de la cafétéria.

Je sors de mon sac les lettres envoyées par trois des filles de Charlotte – Skye, Summer et Coco – qui me parlent d'elles et me souhaitent la bienvenue.

La lettre de Skye est écrite au stylo argenté sur du papier noir et parsemée de minuscules étoiles d'argent. Elle y décrit sa passion pour l'astrologie, l'histoire et les robes achetées dans les vide-greniers – super bizarre. Celle de Summer, en violet sur papier rose pâle, ne parle que de danse classique et de son rêve de savoir faire des pointes et de devenir danseuse étoile. La dernière lettre, celle de Coco, est rédigée au crayon sur un bout de papier déchiré qui a l'air d'être tombé dans une flaque d'eau ou d'avoir été mâchouillé par un chien, voire les deux. Coco est fan des animaux et adore grimper aux arbres. Elle m'explique qu'un jour, elle compte bien avoir un lama, un âne et un perroquet.

Je ne sais pas vraiment si ces lettres me rassurent.

Papa a déjà rencontré les filles. Mais pas moi, car les jours de congé qu'il a réussi à prendre pour aller dans le Sud sont toujours tombés en semaine alors, à chaque fois, j'ai été obligée de rester à Glasgow chez Mrs Mackie. Maintenant, je me dis que j'aurais préféré les connaître un peu.

Papa m'a raconté que Coco était un garçon manqué, Skye et Summer, des jumelles d'un an plus jeunes que moi. Et il y avait une quatrième sœur, Honey, un peu plus âgée.

– Charlotte m'a dit que Honey n'avait pas eu le temps de t'écrire, précise papa. Tu sais, c'est l'aînée, elle a six mois de plus que toi. Vous irez en cours ensemble, à la rentrée, mais tu seras une classe au-dessous. Ses sœurs sont dans un autre établissement qui s'arrête après la cinquième – c'est comme ça dans le Somerset. En tout cas, Honey avait des contrôles à réviser, mais je suis sûre qu'elle a hâte de te rencontrer. C'est une fille très jolie, intelligente et sûre d'elle... Vous allez très bien vous entendre !

– D'accord.

– Les vacances scolaires viennent juste de commencer, là-bas. Du coup, ça va te laisser plein de temps pour faire connaissance avec les filles avant la rentrée. Des vacances à rallonge... pas mal, hein ?

– Ouais, génial.

Je me mords les lèvres. Papa ne peut pas comprendre. Je ne suis pas douée pour m'intégrer, me faire des amis. Je ne suis ni jolie, ni intelligente, ni sûre de moi, contrairement aux filles de Charlotte. Tout ce projet de devenir une «vraie famille» m'a l'air beaucoup plus compliqué maintenant. En fait, je n'avais jamais imaginé qu'il pourrait y avoir des sœurs dans l'histoire. Même leurs prénoms sont originaux : un peu hippies, branchés et rock'n'roll.

Je me doute déjà que je vais être la Tasty Bar ratée dans cette boîte de super filles au chocolat. Youpi.

Des kilomètres et des kilomètres plus tard, on quitte enfin l'autoroute pour prendre les petites routes de campagne. Je suis fatiguée, inquiète et j'ai mal partout. Même Rex n'a pas l'air dans son assiette.

On traverse le petit village de Kitnor, très pittoresque avec ses toits de chaume et ses cottages blancs serrés les uns contre les autres au bord de la route. On dirait que dans cette région, le soleil ne s'arrête jamais de briller.

– On y est presque, annonce papa.

La panique me tord le ventre. Et, si après avoir tant rêvé de tout ça, j'étais déçue, comme quand on ouvre un cadeau de Noël après l'avoir secoué et contemplé sous le sapin pendant des heures, et qu'à l'intérieur, on ne trouve qu'un pull tricoté main vert caca d'oie, trop large et un peu difforme... ?

Maintenant que j'y repense, ce genre d'aventure m'est déjà arrivé plusieurs fois vu que papa raffole du look «friperie». J'ai mis des années à trouver mon propre style, à abandonner les sweats larges pour des jeans *skinny* de couleurs vives, des tee-shirts imprimés et des bracelets en plastique, le tout acheté pour trois fois rien chez Primark ou New Look. Même si je ne serai jamais une fille *girly*, je ne m'en sors pas trop mal, à part quand mes vêtements sont décorés de taches de confiture et de miettes de pain et mes Converse, de boue.

J'aperçois la mer qui scintille au loin pendant qu'on monte une colline couverte d'arbres. Une pancarte de bois plantée au milieu d'une haie annonce *Tanglewood House – BED AND BREAKFAST*. Papa s'engage dans une allée sinueuse bordée de troncs tordus et nous y voilà enfin.

J'en ai le souffle coupé. C'est une immense maison, vieille et élégante, en pierre jaune pâle avec des fenêtres arrondies et un toit en ardoise qui descend très bas. Il y a même une petite tour ronde qui se dresse fièrement, terminée par un toit pointu. Cette maison est impressionnante.. On dirait une demeure de contes de fées où vivraient des princesses.

Une banderole peinte à la main flotte dans la brise au-dessus de nous, pendue entre une fenêtre de l'étage et un arbre.

Bienvenue à Tanglewood, Paddy et Cherry!

– Regarde! lance papa avec un grand sourire. C'est génial, non?

Soudain, un tourbillon de tissu arc-en-ciel recouvre le pare-brise, papa freine d'un coup sec et le gravier crisse sous les roues.

– Coco! crie une voix. Coco, mais qu'est-ce que tu fabriques! Tu l'as laissée tomber!

Papa sort du minivan et je le suis, le bocal de Rex dans les bras. Penchée à la fenêtre de l'étage, une fille aux cheveux blond-roux coiffée d'un grand chapeau de velours vert tient à la main un bout de la banderole qui a atterri sur le pare-brise.

– Salut, Skye, dit papa. C'est toi qui l'as peinte? C'est super!

– Je viens de la terminer, répond la fille. Et Coco était censée m'aider à l'accrocher, pas la lâcher sur vous!

Une deuxième silhouette, celle d'une petite fille maigrichonne, de neuf ou dix ans, en uniforme d'école tout chiffonné, saute de son perchoir sur notre droite.

– Désolée, s'excuse-t-elle avec un sourire espiègle

qui s'étire sur son visage plein de taches de rousseur. La corde a cassé !

Puis elle tourne les talons et détale vers le jardin en hurlant :

– Ils sont là ! Ils sont là !

La fille au chapeau a disparu après avoir lâché son bout de la banderole qui traîne maintenant sur le sol.

– Paddy !

Charlotte sort en courant par une porte de côté ; ses cheveux blonds flottent derrière elle, et elle se jette sur papa dans un éclat de rire. Il l'attrape et la fait tourner autour de lui ; ils rient ensemble comme s'ils étaient seuls au monde.

Mon cœur se serre.

La fille au chapeau apparaît à la porte, les bras croisés et la mine sévère. Elle porte une longue robe un peu jaunie qui semble tout droit sortie d'un coffre à déguisements, et une paire de sandales apparemment vieilles de cent ans. J'essaie de ne pas la fixer avec trop d'insistance.

– Maaaaman, râle-t-elle, et Charlotte s'écarte de papa en riant avant de me serrer contre elle.

– Cherry !

Elle prend mes mains dans les siennes et me contemple avec des yeux brillants.

– Je n'arrive pas à croire que tu sois enfin là ! Je veux que tu te sentes ici chez toi… Alors comme ça, tu as déjà fait la connaissance de Skye? Honey, Summer et Coco ont hâte de te voir elles aussi! On a organisé une petite fête dans le jardin, un truc tout simple avec la famille, quelques amis et un ou deux clients du bed and breakfast...

Elle se penche pour ramasser la banderole.

– On dirait qu'on a mal calculé notre coup! Tant pis... Paddy, tu veux bien m'aider à l'accrocher dans le jardin? Il y a une échelle juste là, contre le mur. Skye, emmène Cherry avec toi et allez chercher les derniers plats... que la fête commence!

Papa hausse les épaules, attrape l'échelle et emboîte le pas à Charlotte. Je me retrouve toute seule, le bocal de Rex serré contre moi. Skye me le prend et repart vers la maison, alors je la suis.

– On a jamais eu de poisson rouge, déclare-t-elle. Mais on a un chien et des canards...

Je pénètre dans la cuisine qui sent bon les saucisses grillées et la pâtisserie. Un gâteau au chocolat, une charlotte, des cupcakes et des tartes aux fraises attendent sur une grande table; à côté, il y a un vieux buffet plein de vaisselle en porcelaine dépareillée et un tableau d'affichage fabriqué avec des vrais bouchons, couvert de cartes postales et de petits mots. J'aperçois même une photo de papa et moi prise le week-end où Charlotte est venue à Glasgow, ce qui me redonne le sourire.

Skye pose le bocal de Rex sur le buffet, puis se dirige vers la vieille cuisinière couleur crème, dont elle sort des plaques entières de petites saucisses et deux quiches dorées qui sentent divinement bon.

– Tiens, dit-elle en me tendant une boîte de cure-dents qu'elle vient de prendre dans un tiroir. Plante les piques dans les saucisses. Je vais préparer des brochettes de tomate et de fromage, parce que Coco est en pleine phase végétarienne. T'as faim ?

– Oui, je meurs de faim !

– Prends une mini-saucisse, ou un cupcake ; je ne le dirai pas ! Je croyais que je ne voulais pas de nouvelle sœur, mais en fait, je suis contente que tu sois là !

– Moi aussi.

Et à ma grande surprise, je me rends compte que je le pense vraiment.

– Tout est tellement… parfait, ici !

Skye rigole.

– Pas vraiment ! Mais bon, tu ne vas pas mettre long-temps à t'en rendre compte ! De toute façon, c'est nul quand tout est parfait.

Elle sort une boîte de cerises confites du placard et se met à décorer le gâteau au chocolat posé sur la table.

– Comme ton prénom veut dire cerise, on l'a inventé pour toi : parfum cola-chocolat-cerise. On a un peu improvisé, quoi.

– Merci ! Ça doit être, euh… délicieux.

Skye pose le gâteau sur un grand plateau pendant que j'essaie de faire tenir les assiettes de saucisses, les brochettes végétariennes et les quiches sur un autre sans tout renverser.

– Tu t'y habitueras, me rassure Skye. On aide souvent maman pour le petit déjeuner du bed and breakfast.

Tout en suivant Skye à l'extérieur, je remarque des guirlandes lumineuses enroulées autour des arbres et j'entends de la musique. Une odeur de fumée monte jusqu'à nous depuis le fond du jardin. Au loin, j'aperçois un groupe de gens serrés autour d'un feu de bois qui discutent, rient et mangent. Si c'est ça une petite fête, je me demande ce que donne une grande.

Il y a des tables à tréteaux recouvertes de nappes de couleurs vives, des tonnes de nourriture et de boissons, des fauteuils de jardin et un patchwork de couvertures et de coussins étalés sur la pelouse. Tout en haut d'une échelle, une silhouette vacillante est occupée à accrocher la banderole de bienvenue à un arbre. C'est papa.

J'avance prudemment sur l'herbe en essayant de maintenir le plateau en équilibre quand, tout à coup, à travers les arbres, sur ma droite, je vois quelque chose d'incroyable. Au milieu d'une petite clairière trône une superbe roulotte au toit arrondi. Elle paraît tout droit sortie d'un rêve avec ses courbes brillantes et sa peinture rouge, jaune et verte. Un rideau en vichy rouge dépasse de la minuscule fenêtre ouverte. Et juste après la clairière, je devine l'eau scintillante d'un ruisseau qui ondule dans les hautes herbes comme un ruban argenté.

– Qui vit là-bas ? je demande à Skye.

– Dans la vieille roulotte ? Personne. On s'en servait comme cabane quand on était petites…

Elle poursuit son chemin, mais moi, je ne peux plus avancer, comme hypnotisée par la roulotte. J'en ai déjà vu une quand j'étais plus jeune, lors d'un séjour chez des amis artistes de papa. Elle était garée au bord de la route et ses propriétaires faisaient bouillir de l'eau sur un feu de camp en se partageant un morceau de pain et du fromage. Ils étaient bronzés, costauds et un peu débraillés. La fille portait des centaines de rubans de toutes les couleurs dans ses longs cheveux en broussaille. Un peu plus loin, un cheval aux pattes poilues broutait l'herbe du bas-côté.

Papa m'a expliqué qu'on les appelait «voyageurs New Age», mais qu'il n'y avait pas si longtemps, de vrais Gitans vivaient dans cette sorte de caravane, des aventuriers, des gens libres et romantiques.

Je trouvais que les voyageurs avaient eux aussi l'air plutôt libres et romantiques et, une fois rentrée à Glasgow, j'en ai parlé à Mrs Mackie.

– Ça ne m'étonnerait pas qu'il y ait un peu de sang

gitan dans ta famille, a-t-elle répondu. Paddy a pas mal voyagé d'ailleurs, non ? Pendant son année sabbatique, là, ou peu importe comment ça s'appelle, après l'école d'art. D'ailleurs, ça a fini par durer bien plus d'une année…

– Et c'est à ce moment qu'il a rencontré maman. Peut-être qu'elle aussi, elle avait un peu de sang gitan ?

Mrs Mackie m'a répondu qu'elle n'en savait rien, mais elle m'a chanté une vieille chanson triste à propos d'une fille qui s'est enfuie avec les Gitans. J'ai adoré cette chanson. Je me suis demandé si ma mère était également partie rejoindre les gitans. Pourquoi pas ? C'était largement aussi crédible que toutes les autres histoires que j'inventais.

Et voilà que je m'apprête à démarrer une nouvelle vie, une vie qui paraît trop belle, trop parfaite pour être vraie. Une nouvelle maman, une vraie maison, une brochette de sœurs, une plage… et une roulotte de Gitans dans le jardin. Je ne peux plus m'arrêter de sourire.

Je ne vois pas ce que je pourrais rêver de mieux…

6

Mais les bonnes surprises ne s'arrêtent pas là. Un gros chien poilu jaillit d'entre les arbres, court autour de moi et saute dans tous les sens en posant ses pattes sur mes vêtements et en levant la truffe vers le plateau comme s'il était affamé.

J'éclate de rire.

– Hé, oh! Arrête un peu!

Mais il n'écoute pas. J'ai beau soulever le plateau le plus haut possible, il continue à danser sur place, jusqu'au moment où mon pied écrase quelque de chose de mou et duveteux – le chien glapit, je crie, et tout le plateau, avec les quiches, les saucisses et les brochettes végétariennes, s'envole dans les airs.

– Ouh là, attention…

Je pars à la renverse, mais quelqu'un me rattrape juste à temps. Et je me retrouve plaquée contre un garçon qui sent le feu de bois et l'océan, un garçon qui me serre dans ses bras avant de s'écarter un peu.

Nous nous regardons en clignant des yeux dans la lumière de la fin de journée.

– Ça va ?

– Euh… oui, je crois !

Comment pourrait-il en être autrement quand un garçon à la peau bronzée, aux yeux verts et aux cheveux blonds comme les blés me tient contre lui ? Il a l'air plutôt cool, avec son jean slim, son tee-shirt bleu moulant et son grand bonnet noir bien qu'on soit en juillet.

Je retiens mon souffle, en espérant secrètement qu'il me serre à nouveau contre lui, mais bien sûr, ça n'arrive pas. Il se contente de sourire et de m'observer pendant un long moment, jusqu'à ce que je me sente sur le point de fondre.

– Tu es Cherry, c'est ça ? Je suis Shay Fletcher.

– Shay…

Je répète ce nom du bout des lèvres, comme une formule magique ou un vœu.

Puis je remarque le chien, occupé a engloutir les quiches et les saucisses tombées par terre, en agitant frénétiquement la queue. Je ne sais plus si je dois rire ou pleurer.

– C'est à cause des saucisses, m'explique Shay. Fred en est dingue !

À quatre pattes dans l'herbe, je commence à ramasser les assiettes et les plats.

– Je n'arrive pas à croire que j'ai tout laissé tomber. Charlotte m'a fait confiance, et voilà…

– Tu n'auras qu'à dire que c'est Fred, me conseille Shay. Il est complètement cinglé, ce chien. Charlotte le sait. Sérieux, c'est vraiment pas grave. Personne ne t'en voudra.

Après avoir ramassé la vaisselle et le plateau, je retourne vers la maison pendant que Fred fait disparaître les dernières traces de l'incident. Shay m'accompagne.

– Je dois aller chercher des bûches pour le feu.

– Oh, d'accord. Et donc, tu es… ?

– Moi ? Je ne suis personne, répond Shay en riant. Je ne fais pas partie de la famille, si c'est ce que tu veux savoir. Je vis un peu plus bas dans le village et je vais au collège avec Honey… et avec toi, bientôt, d'après ce que m'a dit Charlotte. Je connais les Tanberry depuis des années.

Nous nous faufilons dans la cuisine par la porte de derrière, et j'empile les assiettes et les plats dans le vieil évier en céramique.

– Je ne t'imaginais pas du tout comme ça, déclare Shay. J'ai déjà rencontré Paddy, la dernière fois qu'il est venu, et je croyais que tu lui ressemblerais, mais…

– Ce n'est pas du tout le cas, je réponds en souriant. Je sais. Ma mère était japonaise.

– Ouah, cool !

– Bah, pas tant que ça. Elle n'est plus là depuis un moment.

Shay semble mal à l'aise.

– Non… euh… évidemment. Désolé. Je veux dire… bon, je ferais mieux de la fermer, hein ? Je voulais juste… enfin, tu es très mignonne… non, vraiment, je la ferme. Viens, on va chercher les bûches.

Je le suis dans le jardin. Mignonne ? Moi ? Je n'arrive pas à le croire. Shay Fletcher doit être le seul garçon au monde à penser ça.

J'ai le cœur qui bat très fort. J'ai déjà craqué sur un million de garçons cool, mais jamais, pas une seule fois, je n'ai plu à l'un d'entre eux. Ils ont plutôt l'air d'aimer les filles sûres d'elles et populaires, les filles comme Kirsty McRae. Ils ne me trouvent jamais intéressante ni attirante. Sauf peut-être Scott Pickles, qui vivait au rez-de-chaussée de notre immeuble, mais ça ne compte pas étant donné qu'il avait sept ans et des problèmes de vue.

Shay est différent. Il est beaucoup, beaucoup trop bien pour moi, et pourtant je suis à peu près sûre qu'il n'a pas de problème de vue. Il me regarde fixement, avec ses yeux vert océan qui me coupent le souffle.

Shay me remplit les bras de branches et de bûches prises sur le tas de bois à l'angle de la maison. Comme des brindilles se sont accrochées à mes cheveux, il les enlève doucement.

– Tu as intérêt à tout me raconter, lance-t-il avec un sourire. Toute l'histoire de ta vie, du début à la fin. En échange, je te raconterai la mienne ou bien je te jouerai de la guitare. Ça marche ?

– Ça marche, je réponds dans un murmure.

Je crois que je pourrais raconter à Shay Fletcher tout ce qu'il voudra, quand il voudra… Je porterais du bois pour lui jusqu'au bout de la terre, et j'accrocherais des brindilles dans mes cheveux tous les jours, juste pour qu'il puisse les retirer comme il vient de le faire.

Shay attrape une brassée de bûches et redescend vers la fête et le feu de joie. Les gens se tournent vers nous, tant de visages souriants que je souris en retour, parce que mon cœur déborde d'espoir et que je me sens vraiment à ma place – comme si j'appartenais à cet endroit. Tout le monde me salue :

– Bonjour, Cherry ! Bienvenue à Kitnor ! On a tellement entendu parler de toi…

– Ça me fait plaisir de te rencontrer enfin…

Charlotte apparaît, souriante, au milieu de la foule d'inconnus.

– Cherry ! Est-ce que ce fichu chien t'a embêtée ? Il vient de passer en courant avec une demi-quiche dans la gueule…

– Je crois que je lui ai marché sur la queue… J'ai lâché le plateau… Je suis désolée !

– Non, non, Fred est un vrai chenapan, j'aurais dû te prévenir…

Je me tiens tout près du feu, au milieu de la fête, et les guirlandes lumineuses se balancent au-dessus de ma tête. Shay laisse tomber les bûches et les branches sur une nouvelle pile de bois ; je l'imite, les yeux rivés sur son visage que les flammes éclairent de lueurs dorées. Lorsqu'il passe derrière moi, ses doigts effleurent mon bras et ce contact me brûle à travers ma manche.

Skye et Coco sont plantées devant moi, tout sourire, à côté d'une autre fille qui ressemble trait pour trait à Skye, en plus lumineuse, et sans le chapeau mou et la longue robe bizarre. Ses vêtements sont un camaïeu de roses et elle bouge avec la grâce d'une danseuse.

J'ai beau savoir que Skye et Summer sont jumelles, je n'ai jamais vu deux filles aussi semblables et différentes à la fois.

– Tout va bien, m'explique la nouvelle venue en riant de ma confusion. Je suis Summer. Si jamais tu as un doute, dis-toi que je préférerais mourir que d'être vue avec un chapeau informe et une robe vintage !

Skye roule des yeux et lui donne un petit coup de serviette à carreaux rouges.

– Maintenant, je pense que tu connais presque toute la famille, il ne reste que Honey…

L'aînée des sœurs Tanberry est assise sur un tronc à côté d'une guitare bleue et brillante. Ses longs cheveux dorés comme le soleil tombent en cascade jusqu'à sa taille. Elle discute et rit avec un groupe de jeunes.

Papa m'a dit qu'on allait très bien s'entendre, mais Honey Tanberry semble venir d'une autre planète que moi. Elle est plus jolie, beaucoup plus jolie que Kirsty McRae. Elle pourrait être mannequin ou chanteuse ou star de cinéma, avec sa robe bleue imprimée et son bandeau à pois. Elle pourrait être tout ce qu'elle veut.

Un picotement d'inquiétude me parcourt le dos. Les filles comme Honey ou Kirsty ne m'aiment pas, quoi que je fasse. Elles sont populaires, cool, et moi je fais tache à côté d'elles. Honey ne sera pas ma copine – mais un peu ma sœur quand même. Ça change tout, non?

J'espère.

Honey jette un coup d'œil vers moi et son sourire s'efface. Elle se lève lentement et me toise de ses yeux maquillés de bleu. Elle ne semble pas très impressionnée. Je n'arrive pas à comprendre pourquoi elle se montre si froide, mais je sais que je ne rêve pas. Quand elle décroche enfin un sourire, je frissonne.

Shay me lâche le coude et s'écarte, comme si j'étais tout à coup devenue contagieuse.

– Je suis Honey, déclare la fille en passant son bras autour de la taille de Shay pour l'attirer tout contre elle. Je vois que tu as fait la connaissance de mon copain ?

Je regarde Shay, qui détourne les yeux d'un air coupable et gêné. Me voilà à nouveau invisible.

– Apparemment, je réponds.

– OK, ajoute-t-elle en me fixant de son regard glacial. Tant mieux.

Soudain, tous mes rêves de famille, d'amitié et d'amour s'écroulent, prennent feu et se répandent autour de moi en mille petits éclats coupants, brillants et douloureux comme du verre brisé.

7

Je suis cachée sous une couette lisse, repassée et qui sent bon la lessive, contrairement à la mienne à la maison qui était toujours froissée et couverte de miettes de pain. Ma tête repose sur un oreiller de plumes moelleux et même le matelas est souple et confortable, sans ressorts tordus qui se plantent dans mes côtes au milieu de la nuit.

Je devrais être aux anges, et pourtant, ce n'est pas le cas.

Je ne suis pas chez moi, ici. Tous mes rêves se sont envolés à la seconde où j'ai rencontré Honey Tanberry et où Shay Fletcher s'est détourné de moi comme si je n'existais pas.

Bien sûr, j'ai serré les dents et continué à sourire pendant toute la soirée en racontant un million de mensonges.

«Je suis tellement contente d'être ici! Tout le monde est gentil avec moi! J'ai si hâte de tous vous connaître.»

Honey et Shay, quelle surprise, ne m'ont pas approchée de toute la fête. Ils sont restés enlacés à chuchoter et à glousser jusqu'à ce que j'en aie tellement marre de les voir que j'aurais voulu hurler.

Mais je me suis retenue. Ça n'aurait pas été sympa pour papa et Charlotte. J'ai mangé une part de gâteau coca-chocolat-cerise, qui finalement était super bon.

J'ai continué à sourire d'un air crispé et à dire ce qu'il fallait, à me montrer polie et enjouée. Skye et Summer m'ont emmenée voir la roulotte et le ruisseau. J'ai suivi Coco le long du sentier qui descend à la plage et, les pieds enfoncés dans le sable humide, j'ai contemplé l'océan qui miroitait sans un bruit, magnifique et immobile.

Quand la nuit est tombée, Shay Fletcher a commencé à gratter sa guitare bleue. Du coup, évidemment, papa est allé chercher son violon dans le minivan et ils ont joué tous les deux des chansons tristes au coin du feu, sous le ciel étoilé. Je crois que c'était la plus belle et la pire fête de ma vie.

Puis, lorsque nous sommes tous remontés vers la maison, une fois les invités partis, papa et Charlotte ont annoncé la nouvelle.

J'allais devoir partager la chambre de quelqu'un. Ça ne m'était jamais arrivé avant. Notre appartement était peut-être gris et moche, mais il y avait deux chambres. Dans une maison aussi immense, je pensais que chacun aurait un peu d'intimité, mais non. Il faut que je partage ma chambre parce qu'à cause du bed and breakfast, toute la famille se serre au dernier étage pour laisser les jolies chambres aux clients.

Et devinez avec qui je dois dormir? Pas Skye, vu qu'elle cohabite déjà avec sa jumelle Summer. Ni Coco, dont la chambre à peine plus grande qu'un placard ne peut contenir qu'un seul lit. Ce qui ne laisse plus que... Honey.

Youpi.

Bien entendu, Honey-la-princesse vit dans la chambre de la tour. Du coup je suis quoi, moi? Sa demi-sœur-la-servante, qui dort dans les cendres?

Honey, qui devait pourtant être au courant, a eu l'air encore plus dégoûté que moi à cette idée. Alors, pendant qu'elle s'enfermait dans la salle de bains pour prendre une douche, j'ai traîné un sac de vêtements et ma boîte aux trésors jusqu'en haut. J'ai tout entassé au bout de mon lit et je me suis enfouie sous la couette en gardant mon tee-shirt et mon short. Je l'ai entendue jurer quand elle est revenue, mais pour rien au monde je n'aurais sorti la tête de sous la couette.

Sauf que maintenant, je n'ai plus vraiment le choix. Je ne vais pas rester couchée là jusqu'à la fin de ma vie, même si c'est plutôt tentant. Il n'y a plus un bruit dans la chambre de la tour. Tout à l'heure, il y avait des tas de soupirs, des bruits de tiroirs, de spray et de brosses à cheveux.

On dirait que la voie est libre. Honey doit être partie.

Je soulève un coin de la couette pour jeter un coup d'œil. Rien à signaler. Je sors du lit, attrape un jean bleu ciel, un tee-shirt et des sous-vêtements propres, puis je me dirige vers la salle de bains pour me laver. Dans le miroir, j'ai une tête triste et fatiguée sous ma frange qui rebique. Après avoir enfilé mes vêtements, je ressors sur le palier.

En ouvrant la porte de la chambre, je découvre Honey assise devant sa coiffeuse, vêtue du kimono de soie rose qui se trouvait dans ma boîte aux trésors. Elle est en train de se mettre du fard à paupières bleu turquoise.

– Ça t'arrive de frapper ? lance-t-elle.

La rage m'envahit. Le kimono rose est un de mes objets les plus précieux, une des rares choses qui me lient encore à ma mère. Visiblement, Honey a fouillé dans toute la boîte : l'éventail japonais et l'ombrelle en papier sont étalés sur sa couette.

– Et toi, ça t'arrive de demander, Honey ? je réplique. De demander la permission avant de toucher aux affaires des autres ?

– C'est *ma* chambre, aboie-t-elle. Si tu laisses traîner ton bazar, faut pas t'étonner !

– J'ai rien laissé traîner !

Elle hausse un de ses sourcils parfaits.

– C'est pas moi qui ai proposé de partager ma chambre avec toi, d'accord ?

– Sans blague, j'aurais pas deviné…

À mon avis, Honey se passerait bien de partager quoi que ce soit avec moi, à moins qu'il s'agisse de la grippe porcine ou de la peste. C'est réciproque. Et je sais très bien qu'elle se fiche de mon kimono. Elle essaie juste de me provoquer pour voir comment je vais réagir. Pourquoi est-ce que je lui accorderais ce plaisir ? Je respire un grand coup.

– Shay m'a raconté que tu l'avais dragué hier soir. Alors je te préviens, Cherry. Laisse tomber tout de suite. T'as pas le niveau.

Moi, draguer Shay ? Et puis quoi encore ? C'est lui qui m'a draguée, oui. Ce type doit avoir un ego de la taille d'une montagne pour aller raconter à sa copine que je lui cours après. Bon, j'avoue, j'ai peut-être légèrement craqué pendant une minute, mais c'est le copain de Honey. Ce qui le met évidemment hors compétition pour moi. J'aurais juste aimé que quelqu'un le lui explique avant qu'il ne me sorte son petit numéro de charme.

– Tu te crois maligne, hein ? continue Honey. Avec ton abruti de père. Il y a encore quelques heures, vous étiez en train de croupir à Glasgow au milieu de vos chocolats ratés, et voilà que vous débarquez chez nous…

J'hallucine. Croupir à Glasgow ? Avec mon abruti de père ? Si seulement j'avais une assiette de macaronis au fromage sous la main, je lui ferais un relooking express, à celle-là.

– T'es pas bien, toi. On a tout plaqué, tout laissé derrière nous pour venir ici. Tu crois que c'est facile d'abandonner ses amis ?

Encore faudrait-il en avoir, mais bon, ça, Honey ne le sait pas…

– De toute façon, je vois pas pourquoi je m'intéresserais à ton copain. J'en ai déjà un chez moi, beaucoup plus mignon que Shay Fletcher si tu veux mon avis. Il me manque horriblement…

Honey sourit, comme si elle voyait clair dans mon jeu.

– Ah ouais, t'as un copain ? Et comment il s'appelle ?

J'ai beau chercher l'inspiration, la seule image qui me vient, c'est celle de Scott Pickles, le gamin du rez-de-chaussée.

– Scott. Il s'appelle Scott. Et je te signale, Honey, que Glasgow est la ville la plus cool du monde. On habitait dans un immense appartement avec… des balcons et un escalier en colimaçon, et un jardin sur le toit…

Honey hausse les sourcils, l'air amusé, et je réalise trop tard que papa a dû parler à la famille Tanberry de notre petit appartement en sous-sol. D'ailleurs,

Charlotte elle-même est déjà venue.

Je tente autre chose.

– Mon père avait un super boulot…

– Dans une chocolaterie, ouais, je sais, m'interrompt Honey en se passant de l'eye-liner sur un œil, puis sur l'autre.

Mes joues sont en feu. Je ferais n'importe quoi pour effacer ce petit sourire de son visage.

– Tout à fait. Il était manager chez McBean's et s'occupait de… de la recherche et du contrôle qualité. C'était un des postes les plus haut placés. Il dirigeait quasiment toute l'usine…

Honey éclate de rire.

– Et ici il n'a pas de boulot, c'est ça? C'est marrant dis donc!

– Tu déformes tout! Papa va aider Charlotte à s'occuper du bed and breakfast et ensuite, ils vont monter une boîte ensemble pour vendre des chocolats de luxe faits maison…

– Avec l'argent de qui? rétorque Honey en se tournant vers moi. Voyons voir… celui de maman, comme par hasard, vu que d'après ce qu'on m'a dit, ton père est fauché. Avoue, Cherry, c'est un menteur et un pique-assiette… comme toi. Il y avait ni appart de luxe ni poste de manager, et ton histoire de copain, j'y crois pas non plus. À qui tu veux faire avaler ça? Franchement, Cherry, laisse tomber. T'as peut-être réussi à embobiner ma mère et mes sœurs, mais avec moi, ça marche pas!

– J'essaie d'embobiner personne! Mon père et moi, on a vécu tous les deux pendant des années...

– Oh ça va, arrête ton cinéma! Ça prend pas. Ma mère est peut-être aveugle, mais moi, je ne suis pas si naïve. Alors écoute-moi bien : j'ai pas besoin d'une nouvelle sœur, j'en ai déjà trois et ça me suffit largement. Et je n'ai pas non plus besoin d'un nouveau père, tu sais pourquoi? Parce que j'en ai déjà un. Il est hyper intelligent et trop cool et il m'adore... et il adore aussi maman, en fait. Je le sais. Alors ne va pas t'imaginer que tu peux t'incruster ici l'air de rien, parce qu'il va bientôt revenir, je peux te le garantir. Et toi t'iras où à ce moment-là? Nulle part!

Nulle part ou n'importe où ailleurs, ça sera toujours mieux que rester ici avec Honey Tanberry.

Comment est-ce que j'ai pu croire que ça serait facile? Où que je sois, quoi que je fasse, il y aura toujours une peste pour me pourrir l'existence.

Pourquoi est-ce que je les gêne autant? Ça fait des années que j'essaie de comprendre. Dans les magazines, ils conseillent toujours de «rester soi-même» pour se faire de nouveaux amis. Honnêtement, ils ne savent pas de quoi ils parlent. Quand elles me regardent, les filles comme Honey et Kirsty McRae voient la version humaine d'une Tasty Bar ratée.

Un spécimen chez qui on a dû oublier une ou deux couches à la fabrication.

J'ai bien essayé de les rajouter après coup, ces couches, en racontant des histoires sur ma mère pour rendre ma vie un peu plus intéressante. Mais bien sûr, ça n'a pas marché.

Les mains tremblantes, je récupère ma boîte en carton pour y ranger l'ombrelle et l'éventail.

– Ces objets sont précieux, j'ajoute d'une petite voix.

Honey soupire, laisse tomber le kimono de ses épaules, le roule en boule puis me le jette à la figure.

– T'as quand même pas cru que je le voulais ? Et puis quoi encore ? Les vieilles fringues bouffées par les mites, c'est pas vraiment mon style.

Les larmes me brûlent les yeux.

– C'est quoi ton problème, Honey ? Qu'est-ce que je t'ai fait à la fin ?

– T'es là ! T'es là alors que tu devrais pas, tu piges ?

Ses yeux bleus jettent des éclairs et son sourire me glace. Elle m'arrache la boîte aux trésors des mains, ouvre la petite fenêtre ronde et balance le tout dehors, dans la lumière du matin.

– Dégage, Cherry Costello ! siffle Honey. Tu comprends pas que personne veut de toi ?

8

C'est ce qu'on appelle une chute spectaculaire. Le kimono de soie rose s'est pris dans un arbre près de la fenêtre et s'est déployé comme une banderole. L'éventail japonais est perché sur une branche tel un oiseau exotique. Quant à l'ombrelle de papier, elle gît à moitié dépliée dans l'herbe, agitée par le vent, à côté du cadre de ma mère qui est tombé face contre terre sur le gravier.

Papa et Charlotte se tiennent dans l'allée, les bras croisés, l'air sévère.

– Honey? lance Charlotte. Cherry? Qu'est-ce qui se passe? Descendez tout de suite!

Honey me décoche un regard dégoûté avant de dévaler les escaliers pour sortir au soleil. Encore sous le choc, je lui emboîte machinalement le pas.

– Vous m'expliquez? demande Charlotte lorsque nous la rejoignons dans l'allée. Honey? Tu as quelque chose à voir avec ça?

– Sûrement pas, répond-elle d'un ton si désinvolte que j'ai envie de lui en coller une. La boîte a dû tomber du rebord de la fenêtre.

– Cherry ? insiste Charlotte en me fixant, les sourcils froncés. Ce n'est pas ce qui s'est passé, si ?

Je jette un coup d'œil à Honey, qui me défie du regard.

– Si, sans doute, je réponds en haussant les épaules.

– Vous vous êtes disputées ? intervient papa. Il y a un problème ?

– Du genre ? demande Honey d'une petite voix innocente.

– C'est rien, papa.

Il se tourne vers Charlotte et je vois son visage se détendre.

– Bon… mais fais plus attention, la prochaine fois, conseille Charlotte à Honey. Quand on partage sa chambre, on doit respecter les affaires des autres.

Honey lève les yeux au ciel.

– J'ai pas envie de la partager, gémit-elle. Maman, s'il te plaît… c'est pas contre Cherry, bien sûr, mais… on est des ados ! On a besoin d'intimité !

– Honey, ma chérie, ce n'est pas si simple…

Coco grimpe dans l'arbre pour récupérer l'éventail japonais pendant que Skye tire sur un pan du kimono rose jusqu'à ce qu'il lui tombe dans les bras. Summer ramasse l'ombrelle de papier, qu'elle fait tourner au-dessus de sa tête. Quand je me penche pour récupérer le cadre photo, je fais la grimace. Le verre est cassé.

– Je t'en achèterai un autre, promet papa qui referme doucement la boîte en carton et rentre la ranger dans la maison.

Charlotte emmène Honey, qui réclame toujours une chambre rien que pour elle, parce que ce n'est vraiment pas juste de l'obliger à partager, alors qu'elle fait déjà plein d'efforts pour s'habituer à nous. Personne ne me demande ce que j'en pense. En même temps, je suis l'étrangère, n'est-ce pas ?

– Ne le prends pas mal, me console Summer. Honey est hyper possessive avec sa chambre. Peut-être que tu pourrais dormir avec nous ?

– On serait un peu serrées, admet Skye, mais ça ne nous dérangerait pas.

– Je ne veux pas vous embêter.

– Mais non ! Et puis ne t'occupe pas de Honey, intervient Coco. Elle est juste un peu… bizarre, en ce moment. Le mieux, c'est de l'ignorer.

– Maman dit que c'est une phase, ajoute Skye en haussant les épaules. Une longue phase…

– Elle est très sensible, renchérit Summer. Elle ne s'est toujours pas remise du départ de papa.

– Franchement, il serait temps, ronchonne Skye. Ça va faire trois ans.

J'essaie de sourire. Trois des sœurs Tanberry ont l'air de bien m'aimer… C'est déjà ça.

– J'adore ce kimono, Cherry, dit Skye. Où tu l'as eu ?

– Il était à ma mère.

Les trois filles ouvrent de grands yeux. J'ai capté leur attention et gagné leur sympathie.

– Ça, la photo, l'ombrelle et l'éventail… c'est tout ce qui me reste d'elle.

– Sérieux ? souffle Coco. Ouah !

– C'est tellement triste, murmure Summer.

– Ils sont vraiment tombés du rebord de la fenêtre ? demande Skye.

Je lève les yeux au ciel.

– À ton avis ?

– On sait qu'il y a un problème, me confie Charlotte un peu plus tard dans la cuisine. Et que tu ne veux pas nous embêter avec ça, Cherry. Mais… Honey a traversé des moments difficiles ces dernières années, son père lui manque…

– Je sais.

– Je pensais que ça vous ferait du bien à toutes les deux de partager une chambre, continue Charlotte en fronçant les sourcils. Mais pour le moment, elle préfère rester indépendante…

– Je suis sûr que ça te plairait à toi aussi, souligne

papa. Sauf qu'il n'y a pas d'autre chambre et que celles des clients ne sont pas libres, alors, du coup, on se demandait...

– On ne voudrait pas que tu te sentes exclue...

– Il y a d'autres solutions... C'est juste une idée parmi d'autres...

– Quoi ? je demande, exaspérée.

– Est-ce que ça te dirait de dormir dans la roulotte ? finit par lâcher Charlotte.

– Dehors ?

– Euh, oui, mais comme on est en juillet tu n'auras pas froid, et on pourra y installer l'électricité et le chauffage, et la rapprocher de la maison, et si tu as peur, le chien peut dormir avec toi...

– Non ! Je l'adore et j'aime bien l'endroit où elle est. Enfin, je veux dire, je l'adore telle qu'elle est ! Et pour le chien, je veux bien, mais... oh, Charlotte, ça serait vraiment génial de dormir là-bas ! Je peux, vraiment ?

Je me jette au cou de papa. Charlotte éclate de rire avant de se joindre à nous pour un gros câlin collectif, et tout est réglé.

Finalement, tout est bien qui finit bien ! Je m'empresse d'installer mes affaires dans la caravane : je range mes vêtements dans les tiroirs sous le lit, mes livres sur l'étagère, et le bocal de Rex trouve sa place sur le placard aux couleurs vives. Charlotte, qui a lavé le kimono de soie rose depuis sa mésaventure dans l'arbre, me montre comment passer une tige de bambou à travers les manches pour le suspendre au mur et comment replier un pan pour révéler la doublure imprimée de fleurs de cerisier.

Skye m'aide à disposer l'éventail japonais et l'ombrelle de papier; quant à la photo de maman, elle est comme neuve grâce au nouveau cadre que papa est allé m'acheter au village.

Je dirais presque que je me sens chez moi, sauf que chez moi, ma chambre était un vrai bazar, une tanière sombre au papier peint décollé et aux posters déchirés. Des emballages de chocolats, des assiettes vides traînaient par terre. Dans ce désordre, j'ai déjà perdu une chaussure pendant presque six mois.

La caravane sous les arbres est un million de fois mieux.

Elle est parfaite avec ses murs arrondis de toutes les couleurs et ses placards ingénieux, décorés d'oiseaux qui volent avec une fleur dans le bec. Charlotte a aéré le matelas, changé les draps, descendu ma couette de la veille et ajouté une couverture en patchwork par-dessus, au cas où il ferait froid. Il y a un tapis tout doux sur le sol et papa a percé un trou dans le cadre de la porte pour y faire passer un fil électrique. Il y a maintenant des guirlandes lumineuses à l'intérieur de la caravane, comme celles qui courent dehors dans les arbres.

– C'est logique, finalement, commente Charlotte, que Cherry-la-cerise dorme sous les cerisiers !

En levant les yeux vers les branches tachetées de soleil qui forment une arche au-dessus de nous, je constate tout à coup qu'elles sont chargées de cerises rouge foncé et brillantes. Mon cœur fait un bond dans ma poitrine. De vraies cerises, dans de vrais cerisiers... ce n'est pas à Glasgow qu'on verrait ça !

Papa appuie l'échelle contre un arbre pour m'en cueillir tout un saladier. Assise au soleil sur les marches de ma caravane, je savoure leur jus sucré qui gicle sur ma langue.

J'ai mangé des cerises une fois avec Mrs Mackie, la voisine. Elle m'a appris une petite chanson où on compte les noyaux de cerises pour prédire l'avenir et savoir qui sera notre véritable amour. Après avoir soigneusement aligné les noyaux devant moi, je récite comme elle l'a fait : « Soldat, médecin, roi ou marin, sergent, tailleur, mendiant, voleur... »

Je tombe sur « voleur », ce qui peut vouloir dire que Shay Fletcher a volé mon cœur, ou bien que je vais tomber amoureuse de quelqu'un de pas très recommandable. Autrement dit, Shay Fletcher encore une fois.

Sauf que ça n'arrivera pas. Il m'a peut-être charmée pendant une minute ou deux, mais ce garçon ne m'apportera que des ennuis. Il n'était absolument pas disponible et pourtant, il n'a pas hésité à flirter avec moi, avant d'aller raconter n'importe quoi à Honey. Je jette une poignée de noyaux dans l'herbe et je recommence. «Soldat, médecin, roi ou marin...»

Marin. Avec ça, je devrais être tranquille. Les marins ne courent plus les rues aujourd'hui. La comptine des noyaux aurait peut-être besoin d'une petite mise à jour...

– Alors, tu t'amuses bien dans ta cabane ? me lance Honey quand je regagne la maison pour le dîner.

Je me contente de sourire et de l'ignorer.

Après manger, Summer, Skye et Coco m'accompagnent jusqu'à la roulotte avec des timbales pleines de soda glacé. On s'assied sur les marches, Fred se couche dans l'herbe à nos pieds, et on sirote notre soda en se disant que ça nous fait bizarre d'être demi-sœurs.

– Tes amis te manquent ? me demande Coco. Ça doit être dur de partir à l'autre bout du pays en les abandonnant. Moi j'aimerais pas.

– Euh... bah, j'essaie de voir ça comme une aventure. Mais ils me manquent, évidemment...

Quels amis ? Je ferme la bouche avant de laisser s'échapper d'autres mensonges. Mes histoires ont toujours fini par me causer des problèmes. Bon, au moins, celle-là paraît crédible. La plupart des gens ont des amis, non ? Je dois être une exception.

– Vous pouvez rester en contact, suggère Summer pour me consoler. Il y a toujours les textos et les mails et Facebook. Et puis tes meilleurs amis pourront venir te rendre visite…

– Ouais, ils vont sûrement venir… On a prévu plein de trucs…

Comme si ça risquait d'arriver.

– En fait, j'ai surtout peur d'avoir du mal à m'en faire de nouveaux.

Ça, au moins, c'est vrai.

– Oh, t'inquiète pas, me rassure Skye. Tout le monde va t'adorer !

– C'est pas franchement le cas de Honey.

– T'en fais pas pour Honey, intervient Coco. Elle va finir par s'habituer.

– J'espère, soupire Summer. Je déteste quand elle est de mauvaise humeur et pénible comme ça.

– Je sais, répond Skye. Je comprends qu'elle soit triste à cause du départ de papa – on l'a toutes été. Et puis il y a eu le divorce, et ça n'a pas été facile non plus. C'était même la fin du monde. Mais franchement, quand elle a appris pour toi et Paddy…

– Chut, la coupe Coco.

Summer et Skye ont l'air un peu mal à l'aise.

– On était toutes un peu inquiètes, finit par admettre Summer. On avait rencontré Paddy et on l'aimait bien, mais une nouvelle sœur…

– On ne savait pas trop comment tu serais, explique Skye.

– Ni si on s'entendrait bien avec toi, ajoute Coco.

Je serre mes doigts tremblants autour de la timbale de soda, qui a un goût amer, brusquement.

Mais quand Skye tend la main et me tire gentiment les cheveux avec un grand sourire, mes peurs s'évanouissent.

– En fin de compte, on t'aime bien! déclare-t-elle. T'es… j'en sais rien… pas comme les autres! Et super sympa! Honey disait que tu serais peut-être envahissante et désagréable, que tu essaierais de nous piquer notre place… mais tu es pas du tout comme ça. Moi, je trouve même ça bien que tu sois là, contrairement à ce que dit Madame, parce que maintenant elle va bien être obligée de se secouer et d'arrêter de regarder en arrière. Les choses changent et moi, je trouve que c'est chouette!

– Tu crois?

– Évidemment!

– Moi aussi, renchérit Summer.

– Et moi aussi, répète Coco comme un perroquet. Alors… vous croyez qu'ils vont se marier? Paddy et maman?

Je manque d'avaler mon soda de travers.

Se marier? L'idée m'est déjà venue à l'esprit, mais tout va tellement vite que je ne sais plus vraiment si je suis prête. Les rêves et la réalité sont deux choses différentes, je m'en rends compte maintenant. J'ai rêvé d'avoir une maman pendant si longtemps, mais je n'avais jamais imaginé devoir la partager avec quatre sœurs, et surtout, je n'avais jamais pensé que je devrais partager papa.

J'imagine une jolie petite église de campagne, Charlotte en robe blanche et papa dans un costume un peu trop grand pour lui. Et je me vois en robe à volants pastel à côté de Skye, Summer et Coco, souriant toutes les quatre à l'appareil photo derrière nos petits bouquets. Mais soudain, Honey apparaît dans le décor et la scène vole en éclats.

Skye et Summer échangent un regard.

– Se marier... répète Skye d'un ton hésitant. Ce n'est pas rien... je ne crois pas que maman soit pressée. À mon avis, elle veut d'abord voir comment ça se passe.

– Mais ils le feront, un jour, insiste Coco. Non? Ça serait génial d'avoir un nouveau père. Paddy pourrait m'apprendre le violon...

– Ah! Pas question! s'écrie Summer. C'était déjà assez horrible quand tu as essayé la flûte à bec! Pitié!

Coco lève les yeux au ciel, agacée.

– N'empêche, ça serait cool. On deviendrait des vraies demi-sœurs.

– Mais... papa et Charlotte ont déjà été mariés tous

les deux, je lui explique. Ils vont y aller doucement. Ils doivent avoir envie de prendre leur temps. Pour être sûrs que tout va bien…

Même si je ne l'avoue pas, je ne suis pas certaine que ce soit papa et Charlotte qui aient besoin de temps… Un mariage ? Je ne crois pas que je sois prête avant un bon moment.

– C'est vrai que ça serait cool, reconnaît Summer.

– C'est clair, ajoute Skye. Mais pas tout de suite. On verra bien.

– Attendons de nous connaître un peu mieux, tous les sept, je renchéris.

Coco soupire.

Plus tard, papa et Charlotte nous rejoignent, les bras chargés de bûches, et papa allume un feu de camp. On s'assied tout autour dans l'herbe pendant qu'il joue du violon sous le soleil couchant.

Au-dessus de nos têtes, les arbres bruissent doucement et les étoiles s'allument une à une dans le ciel de velours noir.

9

Le lendemain matin, Fred me réveille en aboyant comme un fou. Je tire le rideau et découvre, par la fenêtre, mon père qui approche de la roulotte, l'air tout heureux, un plateau couvert de bonnes choses pour le petit déjeuner entre les mains. Il porte une chemise bleue sans col aux manches relevées et son vieux jean ajusté, acheté dans une boutique d'occasion. Ses cheveux sont un peu ébouriffés, comme s'il venait de sortir de la douche.

Nous ne sommes arrivés dans le Somerset que depuis deux jours, mais papa semble déjà plus jeune, plus détendu qu'avant. J'ouvre la porte et je m'installe sur les marches, enroulée dans ma couverture. Fred sort et bondit vers papa en remuant la queue de toutes ses forces.

Papa le chasse en riant.

– Pas de saucisses, espèce de crapule... Bien dormi, Cherry ? Tu n'as pas eu froid ?

– Non, j'ai super bien dormi. Il faisait bien chaud, surtout que Fred s'est roulé en boule au pied du lit comme une grosse bouillotte poilue.

Papa pose le plateau sur l'herbe encore humide de rosée avant de déplier une nappe de pique-nique. Fred renifle un peu partout d'un air curieux puis, dès qu'il est sûr qu'il n'y a pas de saucisses, il part en trottinant vers la maison en quête de quelque chose d'intéressant à manger. Il ne sait pas ce qu'il rate. En plus du jus d'orange, du yaourt et du chocolat, papa me tend une assiette de pancakes tout chauds, au sirop d'érable. C'est sans doute le meilleur petit déjeuner du monde.

– Ne te fais pas trop d'illusions, hein. Ça ne sera pas comme ça tous les jours, mais je me suis dit que pour une fois… il fallait bien fêter ta première nuit dans la roulotte. Et puis je voulais montrer à Charlotte comme je suis doué pour les pancakes. Je crois qu'elle est épatée !

Je ne peux pas m'empêcher de sourire.

– Évidemment. Tu fais les meilleurs pancakes de tout Glasgow. Enfin, de Kitnor, maintenant !

– Mon bacon grillé vaut le détour, lui aussi. Charlotte a dit que je pourrai faire un essai pour le petit déjeuner des clients demain… avec l'aide de Skye et Summer, le temps d'attraper le coup de main.

– T'inquiète. Tu vas t'en sortir comme un chef.

Reste calme et s'il se passe quoi que ce soit, rajoute-leur une assiette de pancakes. Ils seront ravis.

– J'espère. Mais pour certains, je crains qu'il faille un peu plus que ça...

Il soupire en buvant une gorgée de chocolat chaud, et je me demande s'il a vraiment gobé le petit numéro de Honey la veille.

– Ça fait pas mal de nouveautés d'un coup, hein ? Et les clients du bed and breakfast, c'est encore le plus simple à gérer ! s'exclame papa. J'ai l'impression qu'on n'a même pas pu se parler tranquillement depuis qu'on est arrivés. Comment ça va, toi ?

– Tout va bien, vraiment, je réponds. C'est un peu comme si on m'avait poussée d'un coup dans le grand bain, mais... Skye, Summer et Coco sont super... et Charlotte est adorable, mais...

– Mais ?

Je soupire.

– Je sais pas. Honey ne semble pas contente du tout qu'on soit là, toi et moi. Elle a l'air un peu... suscep-tible, non ?

Papa hoche la tête.

– Un peu, oui. J'ai bien senti que quelque chose n'al-lait pas hier, mais je n'ai pas voulu insister pour ne pas blesser Charlotte... Je crois qu'il va falloir y aller très doucement avec Honey.

Je pousse un nouveau soupir. Très doucement, oui...

J'ai bien l'impression que la vie avec Honey va ressembler à la traversée d'un champ de mines. À chaque instant, il faudra s'attendre à une explosion.

– Elle n'est pas très heureuse, m'explique papa. Charlotte a conscience que c'est difficile pour elle et, au début, elle a préféré agir comme si de rien n'était en pensant que ça l'aiderait. Elle espérait sans doute que Honey saurait rebondir et tirer un trait sur le passé… Qui sait, elle finira peut-être par y arriver…

Papa fronce les sourcils, le regard perdu au loin, comme s'il contemplait quelque chose qu'il ne pouvait atteindre.

– Ce que j'essaie de te dire, c'est que je sais que Honey risque de te mener la vie dure. Fais attention à toi, mais n'oublie pas qu'elle n'est pas aussi insensible qu'elle en a l'air. D'accord ?

– D'accord.

– Tout va bien se passer, Cherry, ajoute-t-il avec un grand sourire. C'est un sacré changement pour nous deux, et pour Charlotte et les filles. Je ne promets pas que ça sera facile, mais je suis sûr qu'on peut y arriver. Je ne pensais pas avoir droit au bonheur une seconde fois… tu sais, comme quand je vivais avec ta maman. Pourtant, j'ai toujours voulu te redonner une vraie famille, et aujourd'hui, ça me semble enfin possible… J'aimerais que tu sentes aussi heureuse que moi ici. C'est le début d'une très belle aventure, j'en suis convaincu. Charlotte et moi... on a été amis pendant si longtemps qu'on se connaît très bien. Se retrouver comme ça, tomber amoureux... c'est bien plus que je n'aurais espéré. On partage tellement de rêves, tellement de centres d'intérêt. On va pouvoir travailler ensemble, pas seulement pour le bed and breakfast, mais aussi pour monter la fabrique de chocolats. J'ai fait beaucoup de recherches et je crois que ça peut marcher. Charlotte va créer un site Internet, réfléchir à notre image, et quand tous mes chiffres et mes calculs seront prêts, je monterai un dossier pour la banque afin d'obtenir un prêt commercial. C'est très excitant!

Papa a l'air si heureux et plein d'espoir que je l'attrape et le serre très fort dans mes bras, si fort que je sens l'odeur de pancakes et de sirop d'érable de son haleine, et le léger parfum citronné de son gel douche.

Il n'y a personne au monde que j'aime plus que mon père. Je veux qu'il soit heureux parce qu'il le mérite, après toutes ces années à travailler à la chaîne chez McBean's, à essayer de joindre les deux bouts, à manger des Tasty Bars ratées et des haricots à la tomate sur des toasts, et à regarder la télé avec moi pendant que le monde tournait sans lui. Mais tout ça, c'est fini.

– Il est temps de vivre notre rêve, continue-t-il.

Ce n'est pas facile de réunir deux familles, mais c'est possible, et je crois que l'effort en vaut la peine. Charlotte et moi, on a tellement envie que ça fonctionne...

– Je sais, je réponds en souriant.

Moi aussi, je veux faire partie de cette famille. Charlotte... les sœurs Tanberry... Tanglewood House... c'est un million de fois mieux que tout ce dont j'aurais pu rêver, parce que c'est réel. Évidemment, j'aurais préféré qu'une fille comme Honey ne fasse pas partie du décor, mais finalement, après une bonne nuit de sommeil, je me demande si je ne me fais pas tout un monde pour rien à son sujet. Elle m'a vue parler à Shay, et s'il lui a raconté que je flirtais avec lui, ce n'est pas étonnant qu'elle me déteste.

Shay doit être ce genre de garçon qui baratine toutes les filles entre cinq et cinquante ans. N'importe qui d'autre tomberait dans le panneau, mais moi, il ne m'intéresse pas du tout. Je parie qu'il adore avoir sa petite cour, son fan-club, autour de lui. Eh bien, qu'il ne compte pas sur moi pour en faire partie.

Honey va vite s'en rendre compte et elle finira bien par comprendre que je ne tiens pas à marcher sur ses plates-bandes, que papa est cool et qu'il ferait un super beau-père. On réussira bien à assembler toutes les pièces du puzzle... non ?

– Moi aussi j'ai envie que ça fonctionne, je souffle. Plus que tout au monde...

– Tant mieux, répond papa. Alors on va y arriver, pas vrai ?

Ces mots sonnent comme un pacte, une promesse.

10

Au fur et à mesure que la semaine passe, je m'habitue à ma caravane et à Tanglewood. Je me réveille tôt, dès que le soleil filtre à travers les rideaux à carreaux rouge et blanc, et j'en profite pour lire ou rêvasser.

Vers neuf heures, je monte à la maison pour me laver, m'habiller et avaler un petit déjeuner composé de toasts à la marmelade en compagnie de Skye, Summer et Coco. Pendant ce temps, papa et Charlotte font frire du bacon et préparent des œufs pochés pour les hôtes du bed and breakfast. Comme c'est toujours un peu la panique, ils recrutent une des filles pour qu'elle apporte des plateaux entiers d'œufs Bénédicte ou de lardons grillés aux vacanciers qui déjeunent dans l'immense salle à manger rustique.

Honey ne descend jamais manger avec nous le matin, ce qui me convient parfaitement. Je passe mes premières journées à me promener autour de Tanglewood avec Skye, Summer et Coco. On aide Charlotte à faire les lits, passer l'aspirateur et épousseter les chambres des clients, ce qui est plutôt amusant parce qu'on travaille toutes ensemble en dansant au son de la radio ou en se courant après, un plumeau à la main.

Ensuite, on se repose au soleil, on bronze, on lit ou on discute ; là non plus, Honey ne se joint jamais à nous. Elle sort parfois voir ses amis au village, mais la plupart du temps, elle reste dans sa chambre.

Souvent, quand je lève les yeux vers la tour, la petite fenêtre est ouverte et je vois Honey assise sur le rebord, un carnet de croquis sur les genoux et ses longs cheveux ondulant dans la brise. Certains jours, elle les attache en une tresse épaisse, comme Raiponce dans le livre de contes que Mrs Mackie m'a offert pour Noël quand j'étais petite.

En faisant de la place pour les affaires de papa, Charlotte a retrouvé un vieux hamac que nous avons suspendu entre deux arbres. Tour à tour, on s'y allonge et on se balance en laissant traîner une main dans l'herbe. Coco me présente ses canards, trois spécimens de l'espèce des « coureurs indiens » qui se tiennent très droits et semblent avoir été étirés en hauteur. Je les trouve très élégants avec leurs plumes d'un noir d'encre. On leur donne du maïs, puis on les regarde s'éclabousser et nager dans la petite mare au milieu de leur enclos.

– Ça plairait peut-être à ton poisson de vivre ici, suggère Coco. Il aurait plus de place.

– Non, les canards le mangeraient! De toute façon, Rex est très heureux comme ça.

– J'aimerais bien avoir un poisson, ajoute Coco d'une voix songeuse. Et un lama, un âne et un perroquet, bien sûr. Maman dit qu'on n'a pas les moyens de prendre d'autres animaux, mais plus tard, je serai vétérinaire et je pourrai m'occuper d'eux.

– Tu seras un super vétérinaire.

– Enfin, c'est pas encore complètement sûr. J'hésite entre ça et travailler pour Greenpeace. Je ferais le tour du monde sur un de leurs bateaux avec l'arc-en-ciel dessiné sur la coque, pour sauver les baleines et la forêt amazonienne et tout.

– Ça a l'air cool. S'il y a quelqu'un qui peut y arriver, c'est bien toi.

Coco me regarde à travers une mèche de cheveux blonds, aussi emmêlés qu'un nid d'oiseau.

– Personne d'autre ne me croit, déclare-t-elle d'un air très sérieux. Mais un jour, je ferai des trucs incroyables. Je le sais!

– Moi, je te crois.

Coco sourit.

– Je suis contente que tu sois là.

Moi aussi, je suis contente.

Au milieu de la semaine, Skye m'emmène visiter

Kitnor. On part le long d'un petit chemin qui descend en zigzag entre les arbres de la colline et nous conduit jusqu'au village. Là, on se croirait dans un livre de contes. Il y a une boulangerie à l'ancienne, une boucherie-charcuterie et une épicerie, un petit supermarché, un marchand de journaux et un tas de cafés, de pubs et de bed and breakfast.

– Un vrai nid à touristes, m'explique Skye. Mais c'est chouette quand même.

Elle porte toujours son chapeau en velours, et une autre robe trouvée dans une friperie, mais personne ne la regarde de travers. Les gens d'ici doivent être habitués.

– Là, c'est la librairie, annonce-t-elle. Et là, le magasin de bricolage. Le petit vieux qui le tient vend encore des seaux en fer, du papier tue-mouches et des balais pour ramoner les cheminées. C'est dingue. Et voilà la poste, si tu veux acheter des cartes pour les envoyer à tes copains.

– Oh… peut-être, oui. J'en voulais, justement…

À l'intérieur, j'attrape deux cartes avec des photos de cottages à toit de chaume pour qu'elle me laisse tranquille. Je pourrai toujours en envoyer une à Mrs Mackie.

– Bonjour, Skye, lance l'employée assise derrière le comptoir. Alors, ça se passe bien les vacances ?

– Oui, Mrs Lee.

– Et qui est donc ton amie ? continue la dame en me souriant. Elle n'est pas du coin, si ? D'ailleurs, c'est peut-être plus qu'une amie... Quelqu'un de ta famille, peut-être ? Même si je dois avouer que vous ne vous ressemblez pas beaucoup...

Elle me dévisage, les sourcils froncés. D'un geste, elle repousse ses cheveux noirs et frisés. De grands anneaux en argent se balancent à ses oreilles.

Skye se met à rire.

– Mrs Lee a un peu de sang gitan, me confie-t-elle. Elle peut voir des choses...

Je pense à la roulotte de Gitans que j'avais vue quand j'étais petite, à celle dans laquelle je dors désormais, à la chanson de Mrs Mackie et à sa théorie selon laquelle papa serait un peu gitan, lui aussi.

Je cligne des yeux.

– Comment ça, des choses ?

– C'est une sorte de sixième sens, m'explique la femme. Je vois sous la surface, je perçois la vérité...

Je rentre la tête dans les épaules, comme un enfant surpris la main dans la boîte à gâteaux, mais Skye ne remarque rien.

– Vous avez raison, comme d'habitude, Mrs Lee. C'est Cherry, ma nouvelle demi-sœur. Enfin, pratiquement. Elle est venue s'installer ici avec son père, Paddy. C'est cool, hein ?

Je tends les cartes postales à Mrs Lee. En les prenant,

elle m'attrape la main et la retourne doucement pour observer ma paume.

– Une fille à un carrefour... Une nouvelle famille, des vérités et des mensonges, un moment décisif... et des choix difficiles, Cherry.

Là, tout de suite, si j'avais le choix, j'aimerais me retrouver à des milliers de kilomètres. Cette femme est complètement cinglée.

– Euh... deux timbres ordinaires, s'il vous plaît.

Mrs Lee sourit.

– Bien sûr. J'espère que tu vas te plaire ici, ma jolie !

Je lui rends son sourire, les dents serrées, avant de suivre Skye à l'extérieur où le soleil brille.

– Elle est un peu bizarre, reconnaît Skye, mais plutôt sympa, surtout quand on aime ce genre de trucs. Un jour, elle m'a dit de me méfier des inconnus et de ne pas laisser mon amour des choses du passé me monter à la tête. Le même jour, j'ai été punie par le remplaçant de ma maîtresse parce que je portais un vieux chapeau acheté aux puces...

– Ah...

– Bref. Là-bas, c'est l'église, qui date du XIIe siècle... poursuit Skye. Et là, l'école primaire, et je peux aussi te montrer le parc...

Des enfants à vélo s'arrêtent près de nous en faisant crisser le gravier et demandent à Skye si elle veut venir au parc. Du coup, on leur emboîte le pas et on les accompagne sur les balançoires, le toboggan et le tourniquet. Franchement, ça ne m'était pas arrivé depuis mes huit ans. Les petits essaient ensuite de nous embarquer dans un match de foot, mais Skye répond qu'on est trop occupées, et on reprend notre visite du village.

Maintenant, je sais où se trouvent les jardins ouvriers, la salle polyvalente et même les conteneurs à bouteilles et les toilettes publiques. Skye m'a présenté un million de personnes, des dames souriantes, des vieux messieurs à moustache et des tonnes de gamins qui jouent à la corde à sauter. Tous ont l'air de la trouver merveilleuse, et je suis d'accord avec eux : l'enthousiasme de Skye est vraiment communicatif.

– Un milk-shake, ça te tente ? me propose-t-elle en m'entraînant vers un café qui s'appelle *Le Chapelier Fou*. On vient toujours ici, ils font des milk-shakes à la banane à tomber par terre, et les meilleurs scones à la crème du village…

Lorsqu'elle pousse la porte, mon cœur se met à battre à cent à l'heure. Honey est assise dans un coin et discute avec Shay en buvant un Coca. J'essaie de ne pas sourire, de ne pas rougir, de me comporter comme si de rien n'était.

– Hé, Skye, Cherry, salut ! s'écrie Shay avec un grand sourire et un geste de la main. Par ici !

Je croise son regard et je me détourne, froidement,

en faisant semblant de m'intéresser à mes cartes postales.

– Vous pouvez prendre nos places, propose Honey à Skye. On allait partir.

Shay semble étonné.

– Ah?

– Oui. C'est bon, Shay, je ne vais pas rester là à discuter de poupées et de poneys avec ma petite sœur et sa copine tarée…

Je deviens aussi rouge que si je venais de me prendre une claque.

– T'as fini de grogner, se moque Shay en parlant à Honey.

– Du moment qu'elle ne mord pas, ajoute Skye en se glissant sur la banquette. Franchement, Honey, comme si, nous, on avait envie de traîner avec toi.

Shay attrape sa guitare bleue et la passe sur son épaule avant d'ajuster son grand bonnet noir. Honey se contente de rejeter ses cheveux en arrière et de se remettre une couche de gloss.

– À plus! lance Skye.

– Ou pas, susurre Honey.

Shay hausse les épaules, l'air désolé, et l'escorte jusqu'à la sortie.

– Elle ne le pense pas vraiment, me rassure Skye pendant que la porte se referme en tintant. Enfin si, mais c'est pas contre nous. Elle devait passer le week-end à Londres avec notre père, sauf qu'il a appelé hier soir pour annuler. Encore. Tu te souviens, après le dîner, quand maman est restée une heure au téléphone et nous a envoyées dehors sans même nous demander de débarrasser ?

Effectivement, je revois très bien le visage fatigué et soucieux de Charlotte qui nous faisait signe de sortir, le téléphone à la main.

– C'est pour ça que Honey est sur les nerfs. Il n'y a vraiment qu'elle pour ne pas se rendre compte que papa est nul…

– Ah, d'accord. Je suis désolée…

– Pas la peine, répond Skye en haussant les épaules. Il n'a jamais vraiment assuré, comme père. Il fait de son mieux, mais je crois qu'il est trop égoïste, au fond. Et il était odieux avec maman. Il n'est jamais revenu nous voir. Une fois, il devait venir passer le week-end avec nous, quand maman était à Glasgow avec Paddy et toi, mais il a annulé au dernier moment et c'est une copine de maman qui a dû nous garder.

J'ouvre et referme la bouche sans réussir à dire un mot.

– Tu vois, quand tu disais le premier jour que tout était parfait ici, bah pas vraiment. Honey est en colère contre tout le monde. Par moments, on a l'impression de vivre avec une tornade. Et on dirait que maman a peur de lui dire quoi que ce soit. Maintenant que vous êtes là, Paddy et toi, il va bien falloir que ça change.

Je me mords les lèvres.

— En tout cas, je l'espère, conclut Skye avec un soupir. Parce que je ne la supporte plus. Heureusement qu'il y a Shay, c'est le seul qu'elle écoute. Il la calme. Je ne sais pas comment il fait pour rester aussi patient avec elle. En tout cas, je crois que Honey l'aime vraiment.

Et un petit coup de couteau dans le cœur, un. Ce n'est pas vraiment ce que j'avais envie d'entendre.

— Ils vont bien ensemble, continue Skye. Ils sont beaux, populaires et cool… J'aimerais bien avoir un copain comme Shay plus tard !

— Moi je ne l'aime pas.

Skye me regarde d'un air étonné.

— Quoi ? Tu n'aimes pas Shay ? Pourtant tout le monde l'adore ! Il est vraiment génial et il passe tellement de temps à la maison que c'est un peu comme un frère adoptif pour nous…

Super. Il ne manquait plus que ça.

— Il fait vraiment partie de la famille, insiste Skye. Quand tu le connaîtras mieux, tu l'aimeras forcément toi aussi.

— Je crois pas. Il a l'air un peu… superficiel. Et prétentieux. Pourquoi il porte un bonnet en juillet ? En plus, je parie qu'il se lisse les mèches de devant.

— Sûrement, acquiesce Skye. Et alors ?

Je lève les yeux au ciel.

– Alors, j'aime pas ce genre de garçon. Tu sais, ceux qui traînent partout avec leur guitare, là, en jouant les rock stars…

– Mais il est vraiment doué ! Tu ne l'as pas entendu le soir du feu de camp ? Allez, Cherry, laisse-lui sa chance. Shay est quelqu'un de bien.

La serveuse arrive pour prendre notre commande. Skye lui décoche un grand sourire et débite son petit discours de présentation. La fille me sourit et me souhaite d'être très heureuse ici, avant de nous offrir nos milk-shakes à la banane et nos scones à la crème en cadeau de bienvenue.

Comme Skye a décidé de rentrer à Tanglewood par la plage, on descend jusqu'au port. Des bateaux de pêche au ventre rond et des yachts élancés sont amarrés le long du quai. On dépasse aussi des voiliers échoués sur l'herbe.

– Shay habite là, annonce Skye en me montrant un joli cottage au toit de chaume planté à côté d'un vieux hangar. Son père tient le centre nautique et Shay lui donne un coup de main pendant les vacances. Il doit avoir son après-midi de libre aujourd'hui. Il donne des cours aux petits, organise des courses de bateaux et loue des voiliers et des bananes gonflables aux doryphores…

– Les doryphores ? C'est quoi ?

– Les touristes ! C'est comme ça qu'on les appelle par ici. Il y en a tout le temps, peu importe la saison, mais maintenant que les vacances ont commencé, on va être envahis. Ils pique-niquent dans les champs, bronzent sur la plage, s'entassent dans les salons de thé… Bien sûr, on a besoin d'eux, alors je ne me plains pas. Pratiquement tout le monde à Kitnor vit grâce aux doryphores. Le bed and breakfast va être complet tout l'été…

Je jette un coup d'œil au cottage près du hangar. Il y a une enseigne qui annonce *Centre nautique de Kitnor* et des canoës alignés avec leurs rames le long du mur blanchi à la chaux. Pourtant, Shay n'a pas l'air très sportif, comme garçon. Je l'imagine mal en train de hisser les voiles, de traîner des remorques et de balader des gros doryphores entre deux âges en combinaison Néoprène et gilet de sauvetage orange. Mais c'est vrai qu'il sentait l'océan… Maintenant, je comprends mieux.

« Soldat, médecin, roi ou marin… »

Pourquoi est-ce que tout me ramène toujours à lui ?

Au moins, si Shay travaille au centre nautique tout l'été, il n'aura pas trop le temps de venir à Tanglewood House. Enfin, j'espère.

Skye recommence à jouer les guides touristiques. Et, bras dessus bras dessous, on continue notre promenade. Je l'écoute me parler de grottes de contre-bandiers, de châteaux en ruine et d'archéologues qui viennent parfois jusqu'ici pour chercher des fossiles et des os de dinosaures.

– J'en ai déjà trouvé un, un fossile, ajoute-t-elle, les yeux brillants. En me penchant pour ramasser des coquillages, j'ai vu un truc à moitié enfoui dans le sable… et c'était une ammonite !

– Une quoi ?

– C'est un fossile de mollusque en forme de spirale. Ils vivaient il y a des millions d'années et ils ont disparu depuis longtemps. Et moi j'en tenais un dans la main, t'imagines ? Une petite créature qui nageait dans la mer juste ici, bien avant que les dinosaures peuplent la terre. C'était comme ramasser un petit morceau d'histoire !

– La classe.

Skye sourit.

– C'est clair. Il n'y a pas beaucoup de gens qui comprennent. Summer, Coco et Honey croient que l'histoire, c'est des vieilles reliques poussiéreuses et des musées gonflants. Mais c'est faux, l'histoire c'est génial. C'est pour ça que ça s'appelle comme ça : l'histoire, ça raconte des histoires !

– De rois, de reines et de contrebandiers. Avec du mystère, des drames, des intrigues et de l'aventure…

– Exactement !

Évidemment, Skye ne peut pas savoir que je suis une spécialiste. La plupart des gens ont tout un tas de souvenirs dans lesquels fouiller, alors que moi, je n'ai pas grand-chose... pas de belles légendes familiales, rien à part papa et moi et un passé auquel on n'a pas très envie de repenser. Mes inventions me permettent de combler les vides laissés par ma mère. J'ai réécrit mon histoire tant de fois dans ma tête que je ne sais plus vraiment distinguer le vrai du faux. Est-ce vraiment si grave ?

Sans doute, oui. À quoi bon raconter à Honey que je vivais dans un grand appartement chic puisqu'elle sait que ce n'est pas vrai ? Et pourquoi prendre le risque de dire à Skye, Summer et Coco que j'avais des tonnes d'amis à Glasgow ? Surtout que, si les Tanberry ne sont pas parfaits, peut-être que je n'ai pas non plus besoin de l'être.

Peut-être est-il temps de garder mes histoires pour mes devoirs d'expression écrite ?

Je veux faire partie de cette famille, alors si ça implique de me taire pour éviter les mensonges, je suis prête à essayer.

Hors de question que je gâche tout.

Quand je pense à ce petit mollusque en spirale qui dérivait dans l'océan il y a si longtemps, je ne peux pas m'empêcher de sourire.

En chemin, Skye et moi parlons de nos projets pour

l'été comme aller nous baigner, faire de longues balades à vélo, organiser des pique-niques ou repérer les jeunes doryphores les plus mignons au village. Après avoir longé la baie et dépassé la pointe, nous nous retrouvons dans la petite crique au pied du sentier qui escalade la falaise et conduit à Tanglewood House.

Soudain, Skye s'écarte et part en courant vers les vagues.

– Alors… on se baigne ou pas ? me lance-t-elle.

Elle retire ses chaussures et ses chaussettes, fait glisser sa longue robe au-dessus de sa tête, jette le tout sur le sable humide puis pique un sprint jusqu'à l'eau, seulement vêtue d'un débardeur violet et d'une culotte.

– Viens ! hurle-t-elle en pataugeant dans l'eau argentée. C'est super, elle est trop bonne !

Ouais, c'est ça. On est peut-être en juillet, mais ce n'est pas non plus la Méditerranée. Bon, je prends sur moi et j'enlève quand même mes chaussures et mes chaussettes. Je frissonne au contact du sable humide.

– Allez, Cherry ! s'exclame Skye en riant. T'es pas cap !

Ça suffit pour me convaincre. Je m'extirpe de mon jean et cours à la mer en tee-shirt et culotte, et dès que la première vague m'éclabousse, je me mets à crier, parce que l'eau n'est pas froide, non, elle est tellement gelée qu'on se croirait dans l'océan Arctique. Skye s'accroche à moi pour m'empêcher de battre en retraite. Toutes les deux, on saute et on se jette dans les vagues en hurlant de rire.

Je ne sais pas si je vais finir par considérer Skye comme une sœur, mais plus ça va, plus j'ai l'impression qu'on devient amies.

11

Le vendredi soir, je m'installe à la table de la cuisine pour écrire une carte postale à Mrs Mackie, comme s'il s'agissait d'une copine qui aurait en réalité moins de soixante ans. Je cache la carte avec ma main pendant que Charlotte remplit nos assiettes de pâtes au pesto et de pain à l'ail.

– Où est Honey? demande-t-elle. Ça fait déjà dix minutes que je l'ai appelée pour manger!

– Dans sa chambre, je crois, répond Summer en haussant les épaules. Elle se prend vraiment pour un ermite en ce moment.

Je suis bien installée. La maison est magnifique, tout près de la plage, alors je peux aller me baigner quand je veux. Je dors dans une vraie roulotte de Gitans avec Rex et un chien qui s'appelle Fred. Tout le monde est très gentil...

Enfin, presque tout le monde. Donc ce n'est pas vraiment un mensonge.

L'image de Mrs Mackie devient déjà un peu floue

dans ma tête, comme le canapé en velours marron, la Clyde Academy et Kirsty McRae. De toute façon, Kirsty ne ferait pas le poids à côté de Honey Tanberry, qui est montée direct à la première place de mon *top ten* des Pires-Filles-Que-Je-Connais.

Après avoir signé, je glisse la carte dans ma poche pour la poster la prochaine fois que je descendrai au village.

– Honey! crie Charlotte dans l'escalier. On mange!

Elle nous tend nos assiettes en secouant la tête.

– On a qu'à commencer sans elle. Si on l'attend, ça va être froid…

Quelques minutes plus tard, Honey entre dans la cuisine d'un pas traînant, toute pâle, les yeux cernés et les lèvres grises. On dirait un fantôme.

– Ça va? lui demande papa.

Honey lui jette un regard noir.

– C'est du maquillage. Ça se voit, quand même.

– On dirait que Halloween est en avance, cette année, commente Charlotte dans un soupir. Qu'est-ce qui se passe, Honey?

– On va chez Georgia pour regarder *Twilight* en DVD. On s'est dit que ce serait marrant de se déguiser.

– OK, répond Charlotte. Pourquoi pas. Assieds-toi, ma puce, et mange tes pâtes tant qu'elles sont chaudes.

Honey fait la grimace.

– On a prévu de la pizza chez Georgia. Je vais sauter le repas, si ça ne t'embête pas. Ne m'attendez pas…

Charlotte fronce les sourcils.

– Mais… tu adores les pâtes au pesto ! Et j'ai préparé du pain à l'ail exprès pour toi, gratiné au fromage comme tu l'aimes…

– Tant pis.

Papa et Charlotte échangent un regard, puis Charlotte pousse un nouveau soupir et baisse la tête.

– Ne rentre pas trop tard, alors. Tu as la permission de vingt-trois heures. Et essaie de ne pas faire peur aux enfants !

– Pfff, genre, répond Honey avant de tourner les talons en faisant voler sa robe en velours noir et de claquer la porte derrière elle.

– Ma-sœur-le-vampire, se moque Summer.

– Je parie qu'il y aura Shay, ajoute Coco. Et qu'ils vont s'embrasser. C'est pour ça qu'elle ne voulait pas de pain à l'ail.

Une miette se colle dans ma gorge et je me mets à tousser tellement fort que papa doit me taper dans le dos. Coco va me chercher un verre d'eau.

Skye conclut avec un sourire :

– En attendant, elle va avoir les crocs…

Je me réveille dans le noir, avec le cœur qui bat à cent à l'heure, parce que quelqu'un tambourine à la porte de la roulotte. Fred se met à grogner, et finit par pousser un petit jappement. Au début, je ne sais plus où je suis, ni pourquoi, puis ça me revient. Et là, c'est encore pire : je suis toute seule dans une roulotte au milieu de nulle part, avec un gros chien poilu qui grogne et un meurtrier armé d'une hache qui essaie d'entrer.

– Cherry ! appelle une voix.

Je crois que je vais m'évanouir.

– Cherry ! C'est moi ! Ouvre !

J'allume la guirlande avant de soulever un coin du rideau. Dehors, il y a une silhouette sombre avec un masque de loup-garou, une longue perruque de cheveux gris emmêlés et une guitare bleue sur l'épaule.

Donc non, ce n'est pas un tueur.

Dès que j'ouvre la porte, Fred bondit dans le noir. J'entends un aboiement étouffé et un bruit de guitare désaccordée. Quand je jette un œil dehors, je découvre Shay Fletcher étalé dans l'herbe, le masque de travers, et Fred qui le lèche de toutes ses forces.

– Fred ! Dégage !

Le chien rentre dans la caravane se cacher derrière mes jambes. Je me rends compte qu'il ne serait pas d'une grande aide si jamais un vrai tueur se pointait. Shay Fletcher me sourit.

– Je t'ai fait peur ?

– Un peu, oui. Remets vite ton masque.

– Hé ! C'est pas sympa, ça. Je passais par là alors j'ai eu envie de te faire un petit coucou…

Il se relève en époussetant son jean.

Je me pelotonne sur les marches de la caravane, enroulée dans ma couverture en patchwork, pendant que Shay s'assied sur un tronc d'arbre.

Malgré la faible lumière des guirlandes suspendues dans les arbres, je vois que je ne me suis pas trompée au sujet de Shay. Il n'est pas si terrible que ça. Il y a sans doute des filles qui craquent pour ses cheveux raides et blonds comme les blés, son nez couvert de taches de rousseur et son grand sourire… mais moi, ça ne m'impressionne pas. Enfin, pas trop.

En plus, vu sa copine, il a vraiment des goûts douteux.

– T'es fâchée ? demande Shay.

– Pourquoi je le serais ? Parce que tu débarques comme ça au milieu de la nuit pour me coller la trouille de ma vie ? Parce que ta copine est une vraie garce ? Ou parce que tu lui as raconté que je te draguais, le soir de mon arrivée ?

– Me draguer ? D'où tu sors ça ?

– Voyons voir… hum… de Honey, évidemment ! Shay a l'air surpris.

– Je n'ai jamais dit ça, je te jure. Tu peux me draguer tant que tu veux…

– Très drôle.

– Oui, il paraît. Sérieux, je me demandais si tu m'en voulais. Tu m'as complètement ignoré au café.

– Tu étais occupé. Avec ta copine.

– Écoute, Honey n'est peut-être pas super accueillante en ce moment, mais ça va lui passer. Et puis ça ne veut pas dire que nous deux, on ne peut pas être amis. Je t'ai promis que je te jouerai de la guitare…

Mon cœur fait un bond dans ma poitrine, mais je me rembrunis aussitôt en repensant aux paroles de Skye.

« Il lui fait du bien. »

« Je crois que Honey l'aime vraiment. »

Génial.

– C'est bon, je te libère de ta promesse. C'était avant de savoir que tu sortais avec ma nouvelle demi-sœur. Au fait… elle est au courant que tu es là ?

– Euh, non, mais…

Je me mords les lèvres.

– Shay, qu'est-ce que tu fiches ici ?

Son sourire illumine soudain l'obscurité. Ce mec a beau être superficiel, menteur et dragueur, il est difficile de ne pas l'aimer au moins un petit peu.

– Comme je te disais, on peut être amis, non ? Tu devais me raconter l'histoire de ta vie.

– Il est presque minuit…

Il fait la grimace.

– Et alors ? Tu ne dormais pas, si ?

– Bien sûr que non, je mens.

– Tant mieux. De toute façon, je ne fais que passer !

– Ah oui, c'est vrai, je réponds en soupirant. Tu reviens de votre soirée *Twilight*. D'ailleurs, à choisir, je crois que je préfère les vampires…

– Tu as tort. Tu imagines un mec qui brille dans le noir et te porte dans ses bras jusqu'au sommet d'un arbre le soir de votre premier rencard ? Après ça, tu seras forcément déçue par tous les hommes qui suivront. Non, un loup-garou, c'est vachement mieux. Lui, au moins, c'est un vrai gentleman, sauf les nuits de pleine lune. Alors, tu choisis quoi ? Des bonbons ou un gage ?

– On est en juillet. Il faut encore attendre trois mois pour Halloween et, en plus, je n'ai plus de bonbons…

– Alors raconte-moi une histoire, dit Shay en se rasseyant sur le tronc. Parle-moi de toi.

Je pousse un soupir exaspéré. Ce garçon serait capable de faire fondre un cœur de pierre.

– Si j'accepte, tu t'en iras ?

– Oui, si c'est ce que tu veux.

Je commence à fléchir. Discuter, lui parler de mon passé… est-ce que ce serait mal, s'il finit par se taire et partir ?

– Oui, c'est ce que je veux.

Je passe un bras autour de Fred et pose ma joue contre son dos poilu en me demandant par où commencer. Je pourrais raconter n'importe quoi à Shay, en fait. Peu importe que ça soit vrai, non?

– Il était une fois... souffle-t-il.

J'enchaîne dans un soupir :

– Il était une fois un jeune homme nommé Paddy qui voulait peindre le monde de toutes les couleurs de l'arc-en-ciel. Après avoir étudié dans une école d'art, il partit en voyage et rencontra une belle Japonaise qui s'appelait Kiko. Ils tombèrent amoureux et firent le tour du monde ensemble, suivis par toutes les couleurs de l'arc-en-ciel...

– Ça me plaît, commente Shay. Quand est-ce que tu arrives?

– Ça vient, ça vient! Après quelque temps, ils apprirent qu'ils allaient avoir un enfant. Ils s'installèrent donc dans une *minka* à Kyoto, une maison aux murs en papier de riz et au sol couvert de tatamis, et ils prénommèrent leur bébé Sakura, parce que c'était la saison des fleurs de cerisier et que de jolies fleurs roses ornaient alors tous les arbres de la ville...

– Attends, m'interrompt Shay. C'est qui, cette Sakura?

Je pose un doigt sur mes lèvres.

– Peu à peu le bébé, dont le prénom signifie «fleur de cerisier», grandit et devint une petite fille pleine de vie. Quand elle riait, toutes les couleurs de l'arc-en-ciel dansaient autour d'elle. Elle savait que tant que sa maman et son papa seraient à ses côtés, elle serait aimée et en sécurité.

Un jour, alors que les cerisiers étaient en fleurs, Sakura et sa maman se rendirent au parc pour admirer les arbres. Soudain, le vent du nord secoua les branches, et les fleurs flottèrent jusqu'au sol comme des flocons de neige. Sakura se mit à pleurer, mais sa maman la prit dans ses bras et lui dit de ne pas être triste, parce que la vie, comme les fleurs de cerisier, est très belle et disparaît très vite, et qu'il faut apprécier sa beauté lorsqu'il en est encore temps, en profitant de chaque seconde…

Shay s'est mis à jouer sur sa guitare un air doux et triste que je n'ai jamais entendu. Il s'envole dans la nuit comme un souvenir. Ma voix tremble un peu tandis que j'observe, du coin de l'œil, son visage éclairé par la lumière des guirlandes.

– Un matin, quelques mois plus tard, Sakura découvrit en se réveillant que sa maman avait disparu. Pour elle, le monde perdit toutes ses couleurs et elle comprit que rien ne serait plus comme avant…

Je me serre contre Fred pour essuyer la larme qui coule sur ma joue. Des émotions enfouies depuis très longtemps remontent à la surface. Je n'avais jamais partagé ces souvenirs et ces sentiments avec personne, pas même avec mon père. Je jette discrètement un regard à Shay. Comment ce garçon parvient-il à me faire dévoiler des choses que je cache depuis si longtemps?

Il pose sa guitare.

– Oh, Cherry, souffle-t-il. Sakura, c'est toi, pas vrai?

– Il faut que tu partes, maintenant. Tu m'as promis.

– Mais je veux la suite! Qu'est-ce qui est arrivé à la mère de Sakura? Où est-elle partie? Qu'est-ce qui se passe après?

Je secoue la tête car je m'aventure sur un terrain glissant, et ça me fait peur.

– Va-t'en, d'accord? S'il te plaît. Et laisse-moi tranquille, Shay. Tu ne devrais même pas être là.

Il se lève, tout tremblant, et passe la guitare bleue sur son épaule.

– Je suis désolé, Cherry. Pour tout.

Puis il remet son masque de loup-garou et disparaît.

12

e me réveille tard le lendemain matin, les yeux
pleins de larmes. Le passé est un truc dangereux. On peut le revivre à travers une histoire,
le rendre plus doux, plus beau qu'il n'est vraiment...
mais pendant la nuit, la vérité refait sournoisement
surface, et on se réveille avec un goût amer dans la
bouche.

Comme j'ai la flemme de me préparer un petit
déjeuner, je me contente d'une banane et de carrés
de chocolat, puis je vais m'installer dans le hamac
avec Rex. Je me balance, ce qui fait tanguer l'eau du
bocal transparent, et me vaut un regard plein de
reproche de la part de mon poisson. Aurait-il le mal
de mer?

Coco a peut-être raison. Il lui faudrait plus de place
pour nager. J'imagine aussitôt un bassin lisse et paisible avec un joli petit pont japonais, des nénuphars
et une pagode en pierre.

Ça serait pas mal.

Je pose le bocal dans l'herbe haute puis je le regarde tristement.

Rex et moi, on a vécu tellement de choses ensemble.

Je l'ai gagné dans une foire quand j'avais sept ans, en lançant des balles de ping-pong dans des bocaux vides. J'essayais de gagner l'énorme ours en peluche rose avec le nœud en satin, mais je n'ai pas réussi. Papa avait payé pour cinq tours, mais je crois qu'au bout d'un moment, le garçon qui tenait le stand en a eu marre et m'a donné le poisson pour qu'on s'en aille.

Dès que j'ai vu Rex, qui ondulait comme un éclair doré dans le sac rempli d'eau, j'ai complètement oublié l'ours en peluche.

Bien sûr, c'est papa qui l'a baptisé Rex. Il disait que c'était un super nom pour un animal de compagnie, et que je pourrais peut-être le dresser pour qu'il rattrape des bâtons et garde l'appartement en notre absence. J'ai mis un moment à comprendre qu'il plaisantait. D'ailleurs, rien que pour ça, je devrais remercier Kirsty McRae.

Au début, Rex a vécu dans notre grande soupière en émail. Puis, dès qu'il a reçu sa paie, papa m'a emmenée dans une animalerie où on a acheté un grand bocal en verre transparent, un filtre à eau, une algue en plastique et une petite arche en pierre.

Je lui donne à manger tous les jours, une pincée de

flocons marron. Rex rapplique aussitôt à la surface pour tout avaler. Je change son eau une fois par semaine à l'aide d'une louche pour ne pas le perturber.

J'ai même emprunté un livre à la bibliothèque afin d'apprendre à m'occuper d'un poisson rouge. J'ai toujours pris Rex très au sérieux.

Ça semble dingue, mais je lui raconte tout. Dans mon livre, ils disaient que les poissons rouges ont une mémoire très courte, trois secondes environ. Apparemment, c'est pour cette raison qu'ils ne se lassent jamais de tourner en rond dans leur bocal, même si j'ai quelques doutes sur la question. Rex a quand même l'air de s'ennuyer.

Mais je peux lui confier mes secrets et quand ils sont tristes, ce n'est pas grave, puisque trois secondes plus tard il les a oubliés. Comme ça, je ne me sens pas coupable parce que je ne risque pas de le rendre malheureux lui aussi. J'ai toujours fait bien attention de ne pas pleurer au-dessus de son bocal, parce que les poissons rouges n'aiment pas l'eau salée.

– Shay Fletcher va me causer des problèmes, je confie maintenant à Rex. Il ne faut pas que je pense à lui.

Rex secoue la queue.

– Il a déjà quelqu'un. Quelqu'un qui me hait…

Rex passe à toute vitesse sous la petite arche et slalome autour de l'algue en plastique.

– Mais je ne peux pas m'empêcher de penser à lui. Je l'aime vraiment bien. C'est mal ?

Je roule hors du hamac et m'allonge dans l'herbe, le visage tout contre le bocal. Quand j'étais petite, je m'imaginais que c'était une boule de cristal et qu'en regardant au travers, je pourrais connaître l'avenir. Je n'y crois plus maintenant, sans compter qu'il ne risque pas de m'arriver grand-chose si je continue à craquer pour un garçon comme Shay Fletcher. Le problème dans ce genre d'histoire, c'est que c'est toujours à sens unique. Shay doit avoir pitié de moi mais ça ne va pas tarder à le lasser, vu que je suis toujours super désagréable avec lui. En plus, il a déjà une copine cent fois plus jolie que moi.

Et pour ce qui est de s'asseoir avec lui sous les cerisiers, c'était une très, très mauvaise idée. Il croit peut-être qu'on est amis, mais moi, je n'en suis pas certaine. Parce que ce n'est pas vraiment de l'amitié que je ressens pour lui.

Ça m'étonnerait aussi que Honey comprenne... Si elle savait pour la nuit dernière, je suis sûre qu'elle m'étranglerait. Et que diraient Skye, Summer et Coco ? Je n'ai pas trop d'illusions à ce sujet. Il y a des choses qui ne se font pas, c'est tout, et passer des heures dans le noir avec le petit ami de sa demi-sœur, ça en fait partie.

Je vais descendre au village poster ma carte à

Mrs Mackie, en espérant que ce que je lui ai raconté finisse par devenir vrai.

Plus de bavardage le soir. Je le jure. Il est temps de mettre fin à cette amitié avant que la situation dégénère.

Rex me fixe, imperturbable. C'est le seul problème quand on se confie à un poisson. Il ne faut pas s'attendre à un câlin ou une discussion à cœur ouvert en retour. Je peux lui demander conseil autant que je veux, mais tout ce que j'obtiens, c'est le même regard impénétrable.

Ça me fait une belle jambe.

— Qu'est-ce que tu fabriques ? demande quelqu'un.

— Rien ! je réponds en me redressant et en enlevant les brins d'herbe pris dans mes cheveux.

Coco se laisse tomber dans le hamac, avec un signe de la main à l'attention de Rex.

— Tu lui parles ? Comme à… je sais pas, un chien ou un truc comme ça ?

— Bien sûr que non. C'est un poisson ! Ça servirait à quoi ?

Coco hausse les épaules.

— Les poissons aussi ont des sentiments. Il ne te fait pas pitié, des fois, à nager en rond tout le temps comme ça ? Je sais bien que tu ne veux pas le mettre dans la mare aux canards, mais on pourrait lui creuser un bassin, non ?

Je chasse de mon esprit l'image du bassin japonais.

– Peut-être. Mais il n'en a pas vraiment besoin. Les poissons ont la mémoire très courte, trois secondes, je te jure. Il est heureux dans son bocal.

– T'es sûre de cette histoire de trois secondes ?

– Je l'ai lu dans un livre de la bibliothèque.

– Je vérifierai sur Internet. En tout cas, si j'avais un poisson, j'aimerais bien qu'il ait un bassin. Et des copains poissons.

– Rex est très content, je réplique, sur la défensive. Il n'a pas besoin d'amis pour être heureux.

– OK, d'accord. Je disais ça comme ça...

– Je lui suffis.

– Désolée...

Je ramasse le bocal, puis je le transporte avec précaution jusqu'à la caravane, où je le repose à sa place sur le placard. Les poissons ne sont pas comme les humains, si ? Ils n'ont pas besoin d'un joli bassin, de nénuphars et d'une pagode en pierre. Ni de famille, de rêves ou de compagnie.

Je jette un coup d'œil à Rex. Il n'y a pas si longtemps, j'étais exactement comme lui : coincée dans mon bocal. Aujourd'hui, tout a changé. Un nouveau monde s'offre à moi, plein de défis, de problèmes et de possibilités. Bien sûr, ça fiche un peu la trouille, mais j'ai bien l'intention de donner le meilleur de moi-même. Pas question que je retourne dans mon bocal.

– Ne commence pas à te faire des idées! je lance à Rex qui me regarde d'un air de reproche.

S'il pouvait parler, je crois qu'il me dirait la même chose.

13

Vendredi, pendant le cours de danse de Summer à Minehead, on en profite pour aller au supermarché avec Charlotte et Skye. En chemin, on passe devant le collège où j'irai à la rentrée.

– C'est plutôt sympa comme endroit, me rassure Charlotte. Et puis Honey veillera sur toi.

Skye me fait une grimace.

– Euh… d'accord, je marmonne, soudain désespérée.

Skye, Summer et Coco vont encore à l'école primaire. Je me demande comment Honey compte veiller sur moi. En balançant mes livres par la fenêtre du dernier étage ? Ou ma tenue de sport dans un arbre ? J'ai hâte…

Après le cours de Summer, Charlotte nous conduit jusqu'à la plage pour que Fred puisse batifoler un peu dans le sable, et elle nous achète des glaces.

L'espace d'un instant, pendant que je mange ma

glace avec Charlotte, Summer et Skye en surveillant Fred qui court dans tous les sens, j'oublie les Tasty Bars ratées. Je profite du soleil qui joue sur mon visage, du contact de l'eau fraîche sur mes pieds nus. Summer et Skye me prennent chacune par un bras et je me sens bien.

En rentrant à Tanglewood, les bras chargés de courses, nous découvrons la cuisine dans un état effrayant. On dirait qu'il y a eu un cambriolage et que des vandales ont tout saccagé. Des casseroles, des assiettes et des plateaux sales s'entassent dans l'évier, le lave-vaisselle tourne à plein régime et papa est en train de frotter la table. Il flotte une odeur bizarre d'épices, comme si on avait raté un poulet au curry.

– On mange indien ce soir? demande Charlotte.

– Euh… non, avoue papa. J'ai recommencé mes expériences. L'autre jour, j'ai vu du chocolat au piment, alors comme j'adore la cuisine épicée…

– C'est pas vrai, je grogne. Des chocolats au curry? Sérieux?

– Ce n'est peut-être pas la meilleure idée que j'ai eue. Mais ne vous inquiétez pas, j'ai essayé d'autres choses… J'ai préparé six nouveaux parfums. Je me suis dit qu'on pourrait organiser une petite dégustation, pour voir lesquels vous préférez!

Charlotte contemple le désordre autour d'elle, l'air un peu abasourdi.

– C'est adorable, mais … tu comptes recommencer ça souvent, Paddy ? Parce que je ne suis pas sûre que mes nerfs tiendront le coup.

Papa paraît déçu.

– Je sais que la table de la cuisine ce n'est pas l'endroit rêvé pour démarrer une fabrique de chocolats, admet-il. Mais j'ai d'autres idées. Des tas d'idées, même. Maintenant qu'on commence à trouver nos marques, on pourrait peut-être réfléchir à d'autres projets ? Si on veut vraiment se lancer, il faut en parler, s'organiser.

Charlotte se laisse tomber dans un vieux fauteuil près de la cuisinière.

– Ça sent le conseil de famille, soupire-t-elle.

– Excellente idée. Tout le monde est concerné. Il s'agit d'une entreprise familiale.

– Tu es drôlement sérieux.

– En effet.

Aucune d'entre nous n'a le courage de lui dire qu'il a du chocolat sur le bout du nez.

*

Le temps que Skye retrouve Coco et que Summer range les courses, on s'occupe avec papa de laver les casseroles et les saladiers couverts de chocolat. La cuisine ressemble un peu moins à un champ de bataille.

Charlotte nous sert du jus de fruits bien frais

pendant que papa installe ses assiettes de chocolats sur la table.

– Quelqu'un a vu Honey ? demande Charlotte en fronçant les sourcils. Si on tient un conseil de famille, on a besoin d'elle...

– Elle était à la plage, répond Skye. Je lui ai dit de rentrer, mais elle ne semblait pas très motivée...

Charlotte et papa échangent un regard indécis.

– Bon, conclut papa. Pas grave. On peut toujours lui en garder quelques-uns pour qu'elle les goûte plus tard.

À ce moment-là, la porte s'ouvre et Honey apparaît, en short, tee-shirt et lunettes de soleil en forme de cœur. Comme d'habitude, elle fait la tête.

– C'est quoi ce bazar ? lance-t-elle en voyant les chocolats. Et qu'est-ce qui se passe de si important ? J'étais occupée et, de toute façon, je n'aime pas le chocolat ! Ça donne des boutons.

Comme elle me jette un regard entendu, je porte la main à mon nez, où un bouton rose Barbie a poussé pendant la nuit.

– Allez, Honey, les chocolats ont l'air bons, l'encourage une deuxième voix.

Pas besoin d'en entendre davantage : c'est Shay, vêtu d'un jean coupé et d'un tee-shirt du Muppet Show, son bonnet vissé sur le crâne. Mon cœur fait un bond dans ma poitrine.

Il me décoche un grand sourire.

– En plus, ce n'est pas le chocolat qui donne des boutons. C'est juste une question d'âge.

– D'âge ? répète Honey avec un regard noir. Ouais, c'est ça...

Mes joues deviennent encore plus roses que le bouton. J'ai compris le message : je n'ai peut-être que quelques mois de moins que Honey, mais concrètement, des années-lumière nous séparent. Elle paraît adulte, cool et sophistiquée, alors que je ne suis qu'une gamine boutonneuse.

– Bon, on est tous là maintenant, annonce papa. Alors c'est parti. Je ne vais pas vous retenir trop longtemps. J'ai inventé de nouvelles recettes que je voudrais vous faire goûter, et puis on pourrait discuter un peu de notre projet de fabrique de chocolats...

– Comment ça ? commence à râler Honey avant de se prendre un coup de coude de Shay et de pousser un long soupir.

La dégustation se passe plutôt bien. Papa a testé des parfums comme tiramisu, xérès ou framboises fraîches, qui font l'unanimité. Le curry, la betterave crue et le persil ont moins de succès, mais tout le monde à part lui s'y attendait un peu.

– Il faut repousser les limites du goût, explique-t-il en se forçant à avaler un chocolat à la betterave. Essayer de nouvelles choses. Découvrir des parfums auxquels personne n'avait encore jamais pensé...

– Mais est-ce que les gens ont vraiment envie de découvrir le chocolat à la betterave? s'interroge Summer à voix haute. Est-ce que le monde est prêt pour ça?

– Je ne crois pas, répond Skye tandis que Honey se contente de lever les yeux au ciel.

– Faites-moi confiance, insiste papa avec un sourire. Un jour, je vais avoir une idée de génie. Un parfum qui vous secouera les papilles et nous rendra célèbres!

– En tout cas, tu en as déjà trois qui sont super, souligne Charlotte. C'est un bon début.

Honey attrape un chocolat à la betterave, le regarde d'un air dégoûté puis le balance directement dans la poubelle.

– Je ne vois pas l'intérêt, déclare-t-elle. Il y en a déjà plein les magasins. En plus, ce n'est même pas toi qui fabriques le chocolat! Tu achètes celui des autres pour le faire fondre. N'importe qui peut y arriver, c'est pas comme ça que tu vas devenir riche. Elle est complètement débile, ton idée!

– Honey! s'exclame Shay.

– Paddy sait ce qu'il fait, intervient Charlotte. Laisse-lui une chance. Écoute-le jusqu'au bout!

Papa nous regarde tous les uns après les autres.

– Dans un sens, Honey a raison, admet-il. Ce n'est pas en bricolant des chocolats dans sa cuisine qu'on devient riche. Il faut qu'on s'occupe de tout le processus : sélectionner les meilleures fèves de cacao bio, les monder et les concasser, les torréfier, les broyer pour obtenir une pâte liquide, concher et affiner le chocolat, puis mélanger tous les ingrédients avant d'arriver au produit final. C'est long et compliqué. Il nous faudra un gril à gaz, un torréfacteur muni d'un tambour, un moulin et une meule...

– Et combien ça va coûter tout ce bazar ? l'interrompt Honey. Et tu vas le trouver où, l'argent ? Pas chez nous, j'espère. Maman, tu ne comprends rien ou quoi ? Il croit qu'il va pouvoir se servir de nos économies pour financer son truc...

– Honey ! s'énerve Charlotte. Arrête tout de suite ! Paddy n'a pas besoin de mon argent, quand bien même j'en aurais. Et cette affaire, on en a envie autant l'un que l'autre. Je t'interdis de parler comme ça, c'est compris ?

Le visage de Honey devient dur comme la pierre. Charlotte a beau prendre sur elle pour supporter les caprices et la mauvaise humeur de sa fille, il y a des limites. Pas question que Honey s'en prenne à papa.

Charlotte soupire en passant la main dans ses cheveux blonds.

– Moi, je me demande plutôt où on va caser tout cet équipement, Paddy. Tu parles de matériel professionnel. Et pour ça, il nous faudrait un espace de travail correct. Je ne peux pas réquisitionner une chambre sans que ça pose problème pour le bed and breakfast, et c'est quand même grâce à lui qu'on vit...

– Oui, oui, répond papa en souriant. Ne t'inquiète pas, j'ai une idée. Tu sais, la vieille étable derrière la maison. Elle est pleine de bric-à-brac, mais je pourrais l'aménager en atelier ou en petite fabrique...

– Et puis quoi encore! lance Honey. T'as pas intérêt. C'est dans cette étable que mon père rangeait sa voiture de collection, alors ne t'en approche pas, Paddy Costello! Je ne vois pas pourquoi tu pourrais débarquer ici et prendre d'un coup toute la place pour monter une fabrique de chocolats pourris dont personne ne voudra! Je suis la seule à trouver ça débile ou quoi?

– Honey! s'écrie Charlotte. Ça suffit maintenant! Présente tout de suite des excuses à Paddy!

Les yeux de Honey lancent des éclairs.

– M'excuser? aboie-t-elle en se levant. Hors de question! Je ne veux pas de toi ici... ni de tes chocolats au curry dégueu et de tes projets minables! Tu n'es pas mon père!

Papa lève les mains en signe de défaite.

– Je sais que...

– Tu ne sais rien du tout! Toi et ta Miss Parfaite là... vous me coincez ici pour parler de vos fichus chocolats et vous osez organiser une réunion de famille alors que vous n'en faites même pas partie, de notre famille ! Vous n'en ferez jamais partie, OK ? Jamais de la vie !

Honey attrape le bord de la nappe et tire de toutes ses forces. La toile cirée, les assiettes, les verres et les restes de chocolats, tout s'écrase par terre avec un grand bruit de vaisselle brisée. Honey sort en courant dans un tourbillon de rage et de cheveux blonds, et claque la porte derrière elle.

Papa s'assied, la tête dans les mains.

– Eh bien…

14

Elle va se calmer, nous rassure Shay en s'installant dans le fauteuil près de la cuisinière, pendant que papa balaye les morceaux de verre et de porcelaine.

Fred, de son côté, se charge de faire disparaître les chocolats à la betterave.

– Je monterai la voir un peu plus tard. Pour lui parler.

Shay paraît tellement calme, tellement détendu après ce qui vient de se passer. Je ne sais pas pourquoi, mais ça m'exaspère.

– Tu ne devrais pas y aller tout de suite ? je demande. Elle avait l'air mal. Et c'est ta copine, non ?

– Oui.

– Et donc ? j'insiste.

– Et donc, je crois que je vais la laisser se calmer un peu toute seule avant d'essayer de la raisonner. Ça ne sert à rien de monter maintenant.

Je ne réponds pas, bien que l'idée de Shay se disputant avec Honey me semble étrangement séduisante. Et puis je me ressaisis. Il faut que j'arrête de me comporter comme une peste avec Shay. Il n'y est pour rien.

– T'as sans doute raison, j'admets finalement.

– Espérons que toi elle t'écoute un peu, Shay, ajoute Charlotte. Tu sais t'y prendre avec elle... Moi, j'ai l'impression de ne jamais dire ce qu'il faut en ce moment. C'est tellement dur ! Tu restes dîner ? J'ai prévu de la quiche et de la salade, et il y en a pour dix...

– Cool, répond Shay avec un sourire.

Skye et Coco sont déjà en train de dresser la table. Elles ont changé la nappe et mettent le couvert pendant que Summer, qui a glissé un CD de musique classique dans la chaîne, s'entraîne à faire des pliés en s'appuyant d'une main sur la commode.

Plantée dans mon coin, j'essaie tant bien que mal d'éviter le regard de Shay. Je me sens gauche et mal à l'aise, un peu comme la seule pièce du puzzle qui ne s'imbrique pas dans les autres.

Shay attrape sa guitare bleue et, bien calé dans son fauteuil, joue quelques accords. On voit qu'il se sent à sa place ici, bien plus que je ne le serai jamais. Il vient de participer à une réunion de la famille Tanberry sans que ça ne surprenne personne, même après ce que

Honey a balancé sur mon père et moi. Ce n'est pas juste.

Et je n'ai pas du tout, mais alors pas du tout envie qu'il aille parler à Honey.

– Je ne me suis pas rendu compte, explique papa. Pour l'étable. Je ne voulais pas contrarier Honey !

– Tout la contrarie, en ce moment, rétorque Charlotte en découpant la quiche encore chaude. Et elle exagère. Greg garait effectivement une voiture là-bas, mais c'est du passé. Il va bien falloir qu'elle admette qu'il ne reviendra pas. Utilise l'étable tant que tu veux, Paddy. On ne va quand même pas la transformer en mausolée en souvenir d'une voiture ou d'une personne qui ne sont plus là. Quoi qu'on fasse, ça ne lui plaira pas, poursuit-elle en lavant la salade. Ça me rend triste, mais qu'est-ce que j'y peux ? Si Honey nous mène tous à la baguette, c'est parce que je l'ai bien voulu… J'avais peur de la mettre en colère. Elle a eu tellement de mal à accepter tout ça. D'abord quand Greg est parti, puis au moment du divorce, et maintenant, elle ne supporte pas que j'aie rencontré quelqu'un et que je sois retombée amoureuse… Franchement, qu'est-ce qu'il y a de mal à ça ?

– Rien, bien sûr, répond papa. Ne t'inquiète pas… elle finira par s'habituer.

Charlotte pose une salade de pommes de terre, une salade verte et deux quiches sur la table.

Nous nous installons tous pour manger, y compris Shay qui se sert un verre de jus de fruits comme s'il était chez lui.

– Alors, cette fabrique de chocolats, comment vous allez l'appeler ? demande-t-il.

Papa a l'air pris de court.

– Mais… c'est une très bonne question, Shay. On n'a pas encore de nom pour l'instant. Quelqu'un a des idées ? Il faut que ça sonne bien, que ça sorte de l'ordinaire…

– Vous n'avez qu'à vous inspirer de moi, suggère Coco. *Chococo.*

– Pas mal, réplique papa. Et plutôt adapté ! Mais que diraient Skye, Summer, Honey et Cherry ? Il n'y a pas de raison qu'on ne mentionne que ton prénom !

Ça m'étonnerait que Honey ait très envie de voir le sien sur les boîtes de chocolats, mais je garde ce commentaire pour moi.

– Pourquoi pas *Les Chocolats de Kitnor* ? propose Summer. C'est simple et direct.

– Ou *Les Délices de Tanglewood* ? hasarde Skye.

– C'est bien aussi, reconnaît papa. Il nous faut quelque chose de facile à retenir, de marquant. Mais on n'est pas obligés de choisir un nom du coin, comme on a l'intention de voir plus grand !

– Quel genre d'image tu cherches à donner ? interroge Shay. Des chocolats de luxe ? Maison ? Bio ?

Équitables ? Tu as besoin d'une idée, d'un concept.

– Le concept, ça pourrait être les parfums inattendus, déclare Summer. Betterave, curry. Tu pourrais les appeler *Les Chocolats Choc*.

– *Les Chocracra* ? lance Coco en riant.

– Peut-être pas, s'amuse papa. Je crois que je vais m'en tenir aux plus comestibles...

– J'aimais bien quand tu nous envoyais tes petites boîtes par la poste, se souvient Skye. C'était cool.

– Oh oui, c'était marrant à fabriquer ! je m'exclame. On achetait du carton qu'on décorait avec de la peinture, des dessins et des petits messages, puis papa traçait un patron et on n'avait plus qu'à plier le long des traits pour obtenir une petite boîte parfaite pour les chocolats.

– Vous mettiez du papier doré à l'intérieur et vous fermiez les boîtes avec un ruban, ajoute Charlotte. Elles étaient vraiment chouettes... J'en ai gardé quelques-unes. Ça pourrait donner une touche vraiment originale à notre produit, Paddy, de jolies boîtes peintes à la main, nouées par un ruban...

Les yeux de papa s'illuminent.

– Tu as raison ! Il faut que l'emballage attire l'attention, qu'on se démarque de ce qui existe déjà. C'est une super idée ! Un vrai produit artisanal, luxueux et élégant... c'est ça, le message qu'on veut faire passer !

– Vous comptez les vendre dans le commerce ou

par correspondance ? demande Shay. J'imagine très bien recevoir un colis, et trouver à l'intérieur une super petite boîte…

– … remplie de chocolats au curry et à la betterave, se moque Skye.

– Pleine de magnifiques chocolats faits maison, la corrige papa. On pourrait fournir quelques magasins, et vendre aussi par Internet, créer un site Web. De toute façon, on veut sortir du lot, proposer quelque chose d'unique. Et si les chocolats eux-mêmes ne sont pas ordinaires, le packaging ne doit pas l'être non plus.

Soudain, je manque m'étouffer avec une bouchée de quiche : je viens d'avoir une idée lumineuse.

– C'est comme ça qu'il faut appeler la société ! *La Boîte de Chocolats* !

– *La Boîte de Chocolats* ? répète papa. Ça me plaît bien.

– Oui, c'est tout simple, acquiesce Charlotte.

– Facile à retenir, ajoute Skye.

Shay sourit et l'espace d'un instant, ses yeux vert océan croisent les miens.

– C'est parfait, conclut-il.

Le temps de terminer les quiches et les salades, le projet commence à prendre forme.

La fabrique s'appellera *La Boîte de Chocolats*. Charlotte va s'attaquer tout de suite à la conception du site Web, parce qu'elle s'y connaît et qu'elle a déjà réalisé celui du bed and breakfast. Papa s'occupera de réaménager l'étable puis, la semaine prochaine, il prendra rendez-vous à la banque afin d'obtenir un prêt pour acheter l'équipement nécessaire et les matières premières. Il commandera du papier doré, du ruban et de grandes feuilles de carton rouge, rose et noir que nous pourrons décorer avec de la peinture dorée, argentée ou arc-en-ciel, en dessinant des cœurs et des étoiles ou en écrivant de petits messages.

– Je sais qu'on n'est pas encore prêts à fabriquer des chocolats, déclare Charlotte. Mais au mois d'août, il va y avoir la foire de Kitnor. Ce serait vraiment dommage de ne pas en profiter. Ça nous ferait de la publicité.

– En effet, répond papa. Comment doit-on s'y prendre pour participer ?

– Le village organise un marathon culinaire, explique Charlotte, grâce à une sorte de carte des environs sur laquelle sont indiqués tous les commerces qui vendent de la nourriture. Il suffit de s'inscrire… et si tout va bien, on sera prêts pile au bon moment. Ce jour-là, Kitnor est envahi de touristes qui passent d'un endroit à l'autre pour acheter des spécialités et découvrir leurs secrets de fabrication. Franchement, je ne vois pas de meilleur moyen de lancer notre affaire !

Papa a les yeux brillants.

– C'est d'accord. Le *timing* va être un peu serré,

mais tu as raison, Charlotte, on ne peut pas laisser passer une occasion pareille!

— Bah voilà, on l'a notre projet, je conclus en souriant.

On se met à débarrasser les assiettes et les verres vides quand un vacarme éclate au-dessus de nos têtes. C'est sans doute de la musique, mais le son est tellement fort que ça n'y ressemble plus du tout. J'ai plutôt l'impression qu'une bombe s'est écrasée sur la maison; il doit y avoir à peu près un million de décibels qui nous vrillent les tympans et font trembler les murs du sol au plafond.

— Bon sang, qu'est-ce que...! s'écrie papa en plaquant ses mains sur ses oreilles.

— C'est Honey, répond Charlotte. Oh non, elle va rendre les clients sourds, ou faire s'envoler le toit, ou les deux... Cette fois, je vais craquer!

— Elle doit être super énervée que je ne sois pas encore monté, dit Shay d'un ton coupable en attrapant sa guitare bleue. Désolé. Je m'en occupe.

Une minute plus tard, le bruit s'arrête d'un seul coup. Tout le monde pousse un soupir de soulagement. Encore un désastre évité, pour le moment en tout cas.

Comme Raiponce dans sa tour, Honey a attiré son prince jusqu'à elle... Shay est perdu.

15

près la discussion sur les chocolats, l'attaque des bombardiers et la sortie précipitée de Shay, on va s'installer dans les gros canapés du salon pour regarder un DVD de Charlotte. Le film s'appelle *Le Chocolat*.

– Ça va te plaire, me promet-elle. Tu vas voir, choisis-toi un coin de canapé et mets-toi à l'aise.

Les immenses canapés se dressent comme des îlots de velours duveteux autour du tapis couleur crème. Quand on s'assied, on a l'impression de s'enfoncer dans un nuage. Rien à voir avec le vieux divan marron tout râpé qu'on avait à Glasgow. Papa et Charlotte se blottissent l'un contre l'autre sur le premier tandis que Skye, Summer et moi nous partageons le second. Coco s'allonge sur le tapis, à côté de Fred.

On a le droit de remonter les pieds et de se caler comme on veut, à condition d'enlever nos chaussures.

Pendant le film, Skye s'avachit peu à peu jusqu'à se retrouver appuyée contre sa jumelle, les jambes en travers des miennes. On n'est plus qu'un amas de bras et de jambes, un tas de sœurs bien confortable et un peu endormi. Ça me fait sourire.

Le film est vraiment génial. Il parle d'une femme mystérieuse et de sa fille qui arrivent un beau jour dans un drôle de village français et bouleversent tout en ouvrant une petite boutique de chocolats. Il y a des Gitans, un festival du chocolat, de l'amitié, des rivalités et de la magie. En le regardant, je me mets à croire à ce projet de fabrique de chocolats. Et je sens que ça n'aura absolument rien à voir avec les Tasty Bars ratées.

– Nous aussi, on pourrait organiser un festival du chocolat, je suggère. Pour le marathon culinaire.

Charlotte hausse un sourcil.

– Mais oui, tu as raison. C'est une excellente idée !

– Une idée de génie ! renchérit papa.

– Le jardin serait parfait, ajoute Summer. Il suffirait de monter des stands, préparer des jeux, des dégustations et plein d'animations en rapport avec le chocolat...

– On pourrait tous participer, propose Coco.

– En parler autour de nous ! s'exclame Skye. Et ajouter une pincée de magie.

Ça s'annonce bien.

*

Plus tard, je retourne à ma caravane en compagnie de Fred. Je respire à pleins poumons l'air frais de la nuit, qui semble chargé de promesses. Un silence épais comme du brouillard descend des arbres et les guirlandes de lumières scintillent au-dessus de Fred, qui chasse des lapins imaginaires en reniflant les fourrés.

J'aperçois une silhouette sombre penchée près de la roulotte et tout à coup, une note de guitare rompt le silence. Quand Fred se met à aboyer, je suis au bord de la crise cardiaque.

Derrière ses mèches blondes, le garçon assis sur les marches me décoche un sourire.

– Shay! je m'écrie. Qu'est-ce que tu fabriques ici? Ça ne va pas de me tendre une embuscade comme ça? J'ai failli mourir de peur...

Shay Fletcher est vraiment le garçon le plus troublant que j'aie jamais rencontré. Dès qu'il est près de moi, des milliers d'émotions m'assaillent: irritation, colère, jalousie, et tout un tas d'autres que je refuse d'admettre.

– Comment ça, une embuscade? Je me reposais un peu avant de rentrer chez moi.

– Ouais, c'est ça.

Il a l'air coupable.

– Bon, d'accord, je t'attendais. Mais ce n'est pas une embuscade. Je voulais juste te parler.

– Super. On va taper la discute pendant que ta copine briseuse d'assiettes et de tympans démolit la maison et réfléchit au meilleur moyen de m'étrangler à mains nues...

– Hein ?

– Laisse tomber. Écoute, tu ne devrais pas être là.

– Et je devrais aller où, alors ?

– N'importe où. Mais pas ici.

Il sourit.

– Pas de problème. On peut descendre à la plage si tu veux. Nager un peu, contempler les étoiles. Mais on a un marché : tu me racontes ton histoire et je te joue de la musique...

– Ce n'était pas un marché !

– Si. Un marché entre amis.

Je me mords les lèvres. Je connais les règles : je sais très bien que je n'ai pas le droit d'approcher Shay. Tous les magazines le disent. J'ai juste un peu de mal à me souvenir pourquoi les règles sont aussi strictes, après ce que Honey a dit à propos de mon père et moi... C'est une peste, aigrie et méprisante, et elle veut nous voir déguerpir.

Grâce à papa, Charlotte, Skye, Summer et Coco j'ai réussi à oublier ses paroles pendant quelques heures, mais quand j'y repense, j'ai toujours aussi mal. Quoi que je fasse, ça n'ira jamais. Et je commence à en avoir marre d'essayer de lui plaire.

Si Shay et moi étions amis, juste amis, est-ce que ce serait mal ?

– Peut-être, je finis par dire à voix haute.

Les yeux de Shay brillent.

– Super, j'ai vraiment envie qu'on soit amis. Je t'aime bien, Cherry, vraiment... Toi, tu m'écoutes.

– Alors de quoi tu voulais qu'on parle ?

Shay pousse un soupir.

– Crois-moi, rien d'intéressant. Mon père me déteste, ma copine est en train de virer psychopathe et moi, je dois tout accepter sans rien dire. Personne ne se soucie de moi. Enfin, à part toi. Et même toi, la plupart du temps, tu n'arrives pas à décider si tu m'aimes bien ou si tu me détestes.

– Je t'aime bien, Shay. Mais c'est... compliqué.

– Ne m'en parle pas. En tout cas, tu n'es pas comme les autres. Tu es intrigante.

– Pas tant que ça.

– Moi, je trouve que si...

Mon cœur se met à faire des sauts périlleux dans ma poitrine alors qu'au même moment, ma tête me conseille de partir en courant. Je rêve d'être intrigante. Ce n'est peut-être pas aussi bien que belle ou sexy ou je ne sais quelle qualité qu'il trouve à Honey, mais c'est déjà beaucoup. Intrigante... J'ai toujours voulu l'être, sans jamais y arriver.

– Enfin, c'est une longue histoire, et ça m'étonnerait

qu'elle finisse bien, conclut Shay en s'adossant à la porte de la roulotte avec un soupir. Ma vie craint carrément. Tu ne veux pas plutôt me parler de Sakura... s'il te plaît?

Je m'assieds sur le tronc d'arbre, Fred en boule à mes pieds. Shay a raison : parfois, les histoires valent mieux que la réalité. Et elles sont beaucoup plus intrigantes, surtout en ce qui me concerne.

Je prends une grande inspiration, puis je commence à raconter à Shay l'histoire du kimono et de l'éventail.

– Il y avait une fête très spéciale à Kyoto. À peu près cinq ou six mois avant le jour où Sakura vit tomber les fleurs de cerisier. À cette occasion, les parents emmenaient leurs enfants de sept, cinq ou trois ans au temple pour se réjouir de les voir en bonne santé et prier pour leur avenir. Comme Sakura avait trois ans, ses parents louèrent un minuscule kimono de soie et attachèrent ses cheveux à l'aide d'une barrette ornée d'une fleur de cerisier.

Shay sourit dans la pénombre.

– Le père de Sakura portait un kimono noir et sa mère, un kimono rose saumon doublé de tissu orange foncé, sur lequel étaient peints des oiseaux et des fleurs de cerisier brodés de fil d'or.

Au temple, Sakura eut le droit de faire sonner la cloche et de frapper trois fois des mains pour convoquer les dieux. Sa mère inscrivit une prière sur un petit morceau de bois qu'elle accrocha dans le temple afin qu'il leur porte chance. Une fois rentrée chez elle, Sakura reçut un cadeau : un éventail de papier orné lui aussi d'une fleur de cerisier. Ce fut une journée parfaite, dont Sakura se souviendrait toute sa vie, elle le savait...

– Ouah, commente Shay. J'ai du mal à t'imaginer à trois ans, vivant sur un autre continent.

– Chut, l'histoire n'est pas terminée. Je t'ai déjà parlé du jour où Sakura vit tomber les fleurs et du matin où elle se réveilla et découvrit que sa mère était partie... cela se passait un an après la fête. Sakura ne comprenait pas. Sa mère lui manquait; elle posait souvent des questions à son sujet, voulait savoir où elle était, et pourquoi, et quand elle rentrerait à la maison.

Le père de Sakura, triste et silencieux, ne répondait jamais à ces questions. Il se contentait de la prendre dans ses bras et de la serrer très fort. Parfois, Sakura sentait ses cils pleins de larmes lui effleurer la joue. Elle savait que Kiko lui manquait autant qu'à elle...

Je m'interromps.

Shay se lève et vient s'asseoir près de moi. Je m'écarte, mais il passe une main autour de mes épaules et je me sens perdue. Je ne veux plus qu'une chose, me blottir dans ses bras et poser ma joue contre son épaule.

Bien sûr, je n'en fais rien. Fred, le meilleur chien de

garde de l'univers, vient à ma rescousse : il se faufile entre nous deux et pose la tête sur mes genoux.

– Dis donc, Fred ! je lance en riant avant de caresser sa fourrure emmêlée.

À nouveau, je m'écarte de Shay, et cette fois il ne me retient pas. Il prend sa guitare pour jouer quelques accords tristes.

– Donc, je disais… Quelques mois plus tard, le père de Sakura lui donna un paquet enveloppé dans du papier de soie. À l'intérieur, elle découvrit le kimono rose saumon que sa mère portait le jour de la fête. Sakura souleva la soie lourde, dessina du bout des doigts les contours des oiseaux et des fleurs peints à la main. Elle pressa son visage sur le tissu et sentit un mélange de jasmin et de poudre de riz, l'odeur douce et délicate de sa mère. Pour la première fois depuis le départ de Kiko, Sakura se mit à pleurer.

Shay soupire en reposant sa guitare dans l'herbe.

– Oh, souffle-t-il. C'est ce kimono-là que Honey a jeté par la fenêtre ?

– Charlotte l'a lavé, je réponds d'une toute petite voix. Elle voulait le rendre aussi beau et neuf qu'avant. Mais maintenant, il ne sent plus que la lessive, il ne me reste plus rien de ma mère.

Shay serre ma main dans la pénombre.

– Il reste beaucoup de choses d'elle, j'en suis sûr. Elle vit en toi.

Il se lève et tire sur une branche pour cueillir quelques cerises. Penché vers moi, il m'en accroche deux à chaque oreille, comme des boucles immenses qui se balancent. Malgré la douceur de la nuit, je ne peux pas m'empêcher de frissonner.

Puis il passe sa guitare bleue sur son épaule et s'en va, me laissant là avec mon cœur qui bat à cent à l'heure et ma tête pleine de rêves qui parlent d'autre chose que d'amitié.

16

Je me réveille tout entortillée dans ma couette. Fred est couché à côté de moi. Un rayon de soleil se glisse sous les rideaux de la roulotte. La nuit précédente me revient petit à petit en mémoire et la culpabilité me serre la gorge, encore plus douloureuse qu'une angine.

Pourquoi est-ce que j'ai accepté de discuter avec Shay ? Je m'étais promis que c'était fini, et j'ai cédé presque immédiatement. Je soupire. Quand Shay est dans les parages, je n'ai plus aucune volonté.

Tandis que je monte vers la maison, pieds nus et en pyjama, je reconnais les airs de violon irlandais du CD préféré de papa, ponctués de gros coups sourds et de tintements métalliques. En suivant ces bruits, je ne tarde pas à découvrir mon père, vêtu d'un vieux jean et d'un tee-shirt couvert de toiles d'araignée, qui traîne des cartons, des sacs-poubelle et des morceaux de meubles cassés hors de l'ancienne étable.

La joyeuse musique provient d'un petit lecteur de CD posé sur le rebord d'une fenêtre.

– Salut, Cherry! lance-t-il. Je me suis dit qu'il était temps de m'y mettre! Il y a de quoi alimenter une bonne dizaine de feux de camp, et je vais devoir faire quelques allers-retours à la décharge…

– Super, je réponds d'une petite voix. Je peux t'aider si tu veux… J'ai dormi tard et je n'ai rien de prévu.

– Non, non, va voir les filles. Ne t'inquiète pas pour moi, ça m'amuse!

Il retourne à l'intérieur; quelques secondes plus tard, deux vieilles chaises de cuisine poussiéreuses et déglinguées volent jusqu'à la pile de détritus.

Je soupire et me dirige vers la maison pour prendre ma douche et m'habiller. Puis je me prépare des toasts et j'aide Charlotte à remplir le lave-vaisselle et nettoyer la cuisine après le coup de feu du matin. Skye est descendue voir une copine au village et Summer est à son cours de danse. Après avoir donné un coup de main à Charlotte et Coco pour le ménage des chambres, je retourne lire près de la caravane.

– Comment va Rex? demande Coco qui m'a suivie.

– Il va bien. Très bien, même.

– J'ai fait des recherches, annonce-t-elle avec un haussement d'épaules. D'après les dernières études, il paraîtrait que les poissons rouges ont beaucoup plus de mémoire que ce qu'on croyait. Sérieux. Genre cinq ou six secondes au lieu de trois. Au moins. Rex doit se sentir très seul, à nager en rond dans son bocal depuis des années entre un petit pont rose fluo et un morceau d'algue en plastique.

Je prends mon livre en regardant Rex, les sourcils froncés.

– Six secondes, je soupire. Ça ne fait quand même pas beaucoup.

– Mais… tu n'as pas envie qu'il soit heureux?

– Tu te prends pour le Docteur Dolittle? Rex est mon poisson. Je m'en occupe très bien. Il m'aime!

– Je sais. Et toi aussi tu l'aimes. Mais réfléchis, s'il pouvait avoir un bassin rien qu'à lui…

Les yeux rivés sur Rex, je repense au bassin que j'avais imaginé, avec les nénuphars, la pagode en pierre et le pont. Ça serait le paradis pour un poisson.

J'adore l'avoir avec moi dans la caravane, mais peut-être qu'il mérite mieux?

– Tu crois que ça lui ferait vraiment plaisir? je demande à Coco.

– C'est sûr. Il serait trop content. Dans un bocal, un poisson rouge vit jusqu'à cinq, dix ans… s'il a de la chance. Et sans jamais grandir, parce qu'il n'a pas la place.

– Rex est plutôt gros. Mais dans un bassin, il aurait l'air vraiment minuscule. En plus il risque de ne pas avoir pied.

Coco éclate de rire.

– Pour l'instant, Rex est un petit poisson dans un bassin tout riquiqui. Enfin, dans un bocal, plutôt. Il n'a plus rien à explorer, plus rien à apprendre. Tente le coup. Laisse-le devenir un petit poisson dans un grand bassin ! Tu sais, les poissons s'en fichent de ne pas avoir pied. Ils adorent ça !

– Oui, c'est logique…

Je réfléchis à ce que j'ai ressenti en arrivant à Tanglewood House. Moi non plus je n'avais pas pied, mais toutes ces nouvelles possibilités, c'était plutôt excitant. C'était un nouveau départ, et ça me plaisait.

Peut-être que ça plairait aussi à Rex ?

– Il va grandir, ajoute Coco. Il vivra sans doute plus longtemps, et plus épanoui.

C'est ce qui finit par me convaincre.

– Ça ne doit pas être si dur de creuser un bassin, continue Coco. Je vais regarder sur Internet. On pourrait le mettre près du patio pour que les clients du bed and breakfast le voient.

– Ça serait cool. OK, on le fait !

– Je vais demander à Charlotte.

Le lendemain, on est en train de prendre le petit déjeuner quand quelqu'un frappe à la porte. C'est un type en salopette bleue, le sourire aux lèvres.

– Vous aviez besoin d'une pelleteuse ?

– Une pelleteuse ? répète Charlotte, une poêle à la main. Non, non, Joe, on n'a pas besoin de pelleteuse. D'où est-ce que tu sors cette idée ?

– La petite Coco m'a appelé hier soir. Pour une histoire de bassin à poissons, je crois ?

Charlotte se tourne vers Coco, qui essaie tant bien que mal de se cacher derrière un paquet de corn flakes.

– Je ne t'ai pas donné la permission, Coco. J'ai juste dit que j'allais y réfléchir.

– Tu as dit que c'était une super idée ! Sur le principe. Et maintenant qu'on a la pelleteuse… ça serait vraiment bête de ne pas s'en servir, non ?

– Mais où est-ce qu'on va le mettre, ton bassin ?

– Près de la maison, devant le patio.

Papa acquiesce.

– On pourrait, oui. Ça plairait sans doute aux hôtes. Et ça ajouterait un peu de cachet.

– Mais ça va demander beaucoup de travail, insiste Charlotte. Tu es déjà occupé à vider l'étable, et on a le festival à préparer, sans parler du dossier de présentation pour la banque si on veut obtenir le prêt pour *La Boîte de Chocolats* !

Papa hausse les épaules.

– Vous voulez vraiment un bassin ?

– Oui ! je m'écrie. C'est pour Rex. Pour qu'il se sente vraiment chez lui.

– Bon, de toute façon je comptais descendre en ville

tout à l'heure. Je dois passer à la décharge puis louer un Kärcher pour nettoyer les murs et le sol de l'étable. Comme je serai au magasin de bricolage, j'en profiterai pour acheter une bâche pour le bassin, et les filles feront le reste. Coco, Cherry, vous êtes d'accord ?

– D'accord !

– On vous aidera, déclare Skye.

– Oui, ça va être marrant, renchérit Summer.

– Alors, intervient le type qui attend toujours dans l'entrée. Vous la voulez ou pas, cette pelleteuse ?

Le temps pour Charlotte de servir des œufs Bénédicte à la table six et du bacon sur des toasts à la trois, Joe a déjà fini de creuser un énorme trou près du patio. Une montagne de terre de la taille du minivan rouge se dresse à côté. Puis la pelleteuse repart en cahotant dans l'allée de graviers.

– La vache, commente Coco. Ça fait vraiment *beaucoup* de terre.

On accompagne papa jusqu'à Minehead pour vider une remorque pleine de terre et de détritus à la décharge, avant de nous arrêter au magasin de bricolage où on achète plusieurs mètres d'épaisse bâche noire, trois nénuphars dans des seaux, six sacs de gravier et des tonneaux en bois qu'on pourra remplir de terre et de fleurs.

On prend aussi quatre nouveaux poissons à l'animalerie. On passe un long moment à les choisir de façon à pouvoir les distinguer les uns des autres. L'un d'eux a une très jolie queue, un autre une tache noire sur le côté, un autre une nageoire en dents de scie et le dernier est doré avec des taches argentées.

– Comment va-t-on les appeler ? se demande Coco. Goutte d'or, Lola, Sirène et Princesse ?

– Ou Fido, Sultan, Snoopy et Rantanplan, je propose, histoire de rester dans le thème.

Papa hoche la tête. De retour à Tanglewood House, il passe la matinée avec nous à installer le bassin, disposant les graviers et les cailloux tout autour pour dissimuler la bâche. L'après-midi, il retourne travailler dans l'atelier et on commence à remplir le bassin. En fin de journée, il est presque prêt. Il n'y a plus qu'à mettre les nénuphars dans l'eau, à garnir les tonneaux de terre et à y planter des fleurs, avant de les arranger sur le patio. On est en train de balayer le reste de terre quand Charlotte nous rejoint, les bras chargés d'un plateau de limonade.

– C'est très joli, reconnaît-elle. Vous avez vraiment bien travaillé !

Il n'y a pas de pagode en pierre, ni de petit pont japonais, mais peut-être qu'un jour, qui sait... Et Charlotte a raison, le bassin est super chouette. Je suis sûre que Rex sera très fier d'y vivre.

Papa nous explique qu'il faut attendre une journée, le temps que l'eau se réchauffe, avant d'y mettre les poissons. Je me réjouis en secret de pouvoir passer une dernière nuit seule avec Rex, comme au bon vieux temps.

– Tout est en train de changer, je lui annonce un peu plus tard, blottie dans mon lit dans la roulotte. Pour nous deux. Il est temps d'avancer. Maintenant, on a une famille.

Rex cligne des yeux.

– N'aie pas peur, ça ne sera pas trop grand ni trop beau pour toi. Tu le mérites, après tout ce temps passé dans un bocal. Et ne t'inquiète pas pour les autres poissons. Tu vas t'habituer à eux. Moi je me suis bien habituée à Tanglewood House, non ? Et à Charlotte, Skye, Summer et Coco. Je vais peut-être même finir par supporter Honey.

Je compte jusqu'à six, sans le quitter des yeux.

– Tu m'écoutes ? Il faut que tu te souviennes d'un truc, et pendant plus de six secondes. Un truc important.

Rex agite la queue.

– Je continuerai à venir te voir tous les jours. Et à te donner à manger. Tu vas grandir, apprendre plein de choses et vivre un tas d'aventures. Tu vas devenir très vieux et très sage. Un jour, tu seras peut-être un gros poisson dans un petit bassin ! Mais je t'aimerai toujours plus que les autres poissons, je te le promets.

Je lui envoie un baiser à travers le verre froid, puis je me roule en boule sous ma couette pour dormir.

17

Quelques jours plus tard, je suis allongée à plat ventre au bord du nouveau bassin, quand une paire de sandales bleues entre dans mon champ de vision.

– Évite de tomber dedans, dit une voix sèche et blasée.

Je me redresse. Honey me regarde avec pitié.

– Je cherchais juste mon poisson, je réponds, comme si c'était la chose la plus normale du monde. Rex.

Honey s'assied sur un des bancs du patio.

– Tu ne trouves pas que c'est bizarre ? De donner un nom de chien à un poisson ?

– Une fille m'a déjà dit ça un jour, je marmonne en songeant à Kirsty McRae. D'ailleurs, c'est marrant, mais tu me fais un peu penser à elle.

Honey hausse un sourcil et esquisse une de ces grimaces méprisantes dont elle a le secret.

– Je trouve ça drôle, c'est tout, je reprends plus fort.

Le nom. C'est ironique, tu vois ?

– Ouais. À part ça, pourquoi tu le cherchais ton poisson ? Ne me dis pas que tu lui racontes ta vie.

– Bien sûr que non. Je ne suis pas folle.

À ce moment précis, Rex passe sans un bruit tout près de la surface. Je serais prête à parier qu'il rigole. Puis, d'un battement de queue, il replonge sous les nénuphars – petit poisson heureux comme un roi dans son grand bassin.

Honey ouvre un carnet de croquis et attrape un crayon derrière son oreille. Les sourcils froncés, l'air concentré, elle annonce :

– J'ai un truc à faire pour mon cours de dessin. Et tu me gênes, là.

Elle sourit gentiment, ses longs cheveux blonds étalés autour d'elle comme un manteau doré. Je rêve ou elle vient de me demander de dégager ?

– Honey, je sais que ça ne te plaît pas trop que je sois là...

– Pas trop ?

Je soupire.

– D'accord, ça ne te plaît pas du tout. Mais c'est comme ça, je suis là et mon père aussi, alors tu ne penses pas que ça se passerait mieux si on essayait de s'entendre ?

– T'es bête ou quoi ? Tu ne comprends pas ? Je sais que les autres cèdent à tous tes caprices, mais franchement, il serait temps de te rendre compte que toute cette histoire de famille recomposée, ça ne marchera pas. Tu ne seras jamais à ta place ici, Cherry. Pas la peine d'essayer.

Je me sens rougir, comme si elle venait de me frapper.

Être à ma place… Comment a-t-elle deviné que c'est ce que je souhaite plus que tout ? M'intégrer, participer ? J'avais l'impression de ne pas trop mal m'en sortir, mais les paroles de Honey viennent de réduire tous mes espoirs à néant.

– Ça ne sert à rien de faire semblant de s'entendre, Cherry. Je n'y peux rien, je ne peux pas te saquer. Et j'imagine que c'est réciproque. Donc ça s'arrête là.

C'est clair que je ne suis pas une grande fan de Honey Tanberry, mais c'est difficile d'apprécier quelqu'un qui vous déteste. Elle me regarde comme si j'étais une bestiole répugnante en train de ramper sur ses sandales en daim.

Sous ses allures de jolie princesse, Honey est une vipère venimeuse… et pourtant, une partie de moi rêve qu'elle m'accepte, qu'elle m'aime.

Comme si ça pouvait arriver un jour.

– Ce n'est pas vraiment nous deux le problème, si ? Honey, tu ne crois pas que ta mère et mon père ont le droit d'être heureux ?

Ses yeux bleus se mettent à jeter des éclairs.

– Oh ça va, arrête un peu ton char ! Je n'y crois pas !

Tu te pointes ici et tu te comportes comme si tu étais chez toi, tu dois te dire que tu as eu de la chance, mais ça ne va pas durer. Ton père est un guignol. Il aura beau essayer de toutes ses forces, il n'arrivera jamais à démarrer sa fabrique de chocolats, et quand ça se cassera la figure, maman le fichera à la porte. Elle n'aime pas les *losers*.

Je ravale ma colère.

– Tu racontes n'importe quoi. Mon père est… il est génial, et Charlotte l'aime vraiment.

– Pour l'instant, répond Honey en haussant les épaules. Elle aimait mon père aussi, jusqu'à ce qu'elle change d'avis et le mette dehors. Alors ne t'installe pas trop, OK ? Tes jours ici sont comptés. J'écris à mon père tout le temps, il est au courant de ce qui se passe et je peux te dire que ça ne l'impressionne pas beaucoup. Il aime toujours maman. Leur séparation ne va pas durer…

Elle sourit d'un air si doux et si gentil que je pourrais presque m'y laisser prendre. Puis j'aperçois deux autres poissons sous l'eau, quasiment invisibles, et je me demande ce que Honey cache sous sa surface.

Rien de bon, à mon avis.

– Mais… ils sont séparés depuis trois ans. Et ils ont divorcé, non ? Ça semble plutôt définitif…

Honey lève les yeux au ciel.

– Le divorce était une erreur. Papa était en colère

contre maman, mais il nous aime toutes. On va redevenir une famille.

J'ai bien l'impression que cela tient plus du rêve que de la réalité. Si Greg Tanberry voulait vraiment ressouder sa famille, il enverrait des fleurs, il viendrait la voir et essaierait d'arranger les choses. Alors que, d'après ce qu'on m'a dit, il passe son temps dans son luxueux appartement de Londres et n'a pas remis les pieds à Kitnor une seule fois depuis son départ.

– Je ne suis pas sûre que Charlotte en ait envie.

Honey pince les lèvres.

– Détrompe-toi. Paddy n'est vraiment pas son type. Mon père est un véritable homme d'affaires, avec des costumes Armani, une voiture de sport et une montre en or… Ton père travaillait dans une usine de chocolats ! Et ne recommence pas avec tes histoires de manager, parce que je lui ai posé la question, et il m'a dit que son travail c'était de trier les barres de chocolat ratées. Ça m'étonnerait que ce soit un boulot de manager !

Les joues brûlantes, je détourne les yeux.

– Franchement, mon père est mille fois mieux. À côté de lui, Paddy n'est qu'un Gitan !

Je repense à la chanson de Mrs Mackie sur les Gitans dépenaillés, et au film *Le Chocolat* qu'on a regardé quelques jours plus tôt, et je me dis que parfois, un homme aux allures de Gitan peut très bien être le

Prince charmant. J'ai vu comment Charlotte regardait papa, et je crois qu'elle l'aime au moins autant que moi. Voilà pourquoi je la trouve si géniale.

– Mon père est super haut placé, continue Honey. Il travaille dur. Tous les jours de la semaine et très tard le soir. C'est pour ça que je ne peux pas l'appeler quand je veux, parce qu'il est souvent en réunion. Et c'est pour ça aussi qu'il ne peut pas toujours venir nous voir et que des fois, quand on doit lui rendre visite à Londres, il est obligé d'annuler…

Je me mords les lèvres. Si Honey espère me prouver que son père est mieux que le mien, c'est raté. Tout ce que j'imagine, c'est un type superficiel et frimeur, qui fait passer son travail avant ses filles. Mais bon, Honey préfère tout voir en rose, et c'est normal : elle aime son père.

– Écoute, Honey, j'ai bien compris que tu me trouvais nulle, mais on a quand même une chose en commun : tu as perdu quelqu'un que tu aimais, et moi aussi, ma mère… et je sais que ça fait mal. Très mal.

Honey lève les yeux au ciel.

– Je n'ai pas perdu mon père, me coupe-t-elle, cinglante. Ça ne veut rien dire, en plus. À t'entendre, on dirait que je l'ai rangé dans un coin et que je n'arrive plus à mettre la main dessus ! Je sais où est mon père et crois-moi, il n'est pas perdu. Ma situation n'a rien à voir avec la tienne !

Sa phrase me fait l'effet d'un coup de poignard en pleine poitrine, mais je redresse le menton, bien décidée à ne rien laisser paraître. Honey est forcément au courant pour ma mère, mais elle s'en fiche. Je ne pourrai jamais m'entendre avec elle. Au moins, c'est clair. Si on échouait toutes les deux sur une île déserte, elle préférerait sans doute s'enfuir à la nage que rester avec moi.

Je me lève, la tête haute, les joues en feu. Chaque parcelle de mon corps tremble de rage et de douleur, mais il est hors de question que Honey s'en rende compte. Je refuse de lui donner ce plaisir.

– Cherry?

Je soutiens son regard, prête pour une nouvelle attaque qui ne vient pas.

– Je suis désolée pour ta mère, dit-elle doucement. Je ne suis quand même pas une garce...

Les yeux écarquillés, je cherche en vain quelque chose à répondre. Viendrais-je d'apercevoir une faille dans l'armure de Honey? Aurait-elle un cœur, finalement? Peut-être y a-t-il encore de l'espoir...

Ou pas.

– Ce n'est pas contre toi, d'accord? Je veux juste que tu le saches. C'est mieux pour tout le monde. En fait, ma mère se sert de Paddy pour rendre mon père jaloux. Voilà, maintenant tu es au courant et tu comprends pourquoi ça ne sert à rien qu'on devienne copines, vu que d'ici peu tu ne seras sans doute plus là. Tu piges ?

Pour toute réponse, je tourne les talons et m'en vais.

18

Je n'ai pas vu Shay depuis une semaine, enfin pas vraiment, pas en tête à tête. C'est mieux, je le sais, même si ça ne me réjouit pas tellement.

Les premières nuits, je restais éveillée à attendre qu'on frappe à la porte de la roulotte. Mais en vain. Et, au bout de plusieurs jours, je me suis dit que j'étais soulagée. J'ai arrêté de l'attendre et d'espérer et j'ai décidé que ça valait mieux, puisqu'on n'avait rien à faire ensemble.

Sauf que je le croise de temps en temps, quand il vient chercher Honey pour l'emmener à une soirée, ou quand il se balance dans le hamac le soir, ou quand il s'invite à dîner. Et à chaque fois, je sens le couteau se retourner dans la plaie. Mon ventre se serre, les battements de mon cœur s'accélèrent, et je suis obligée de détourner les yeux avant que tout le monde se rende compte que je craque pour le petit copain de ma demi-sœur.

Je pense à Honey à la fenêtre de sa tour, sa longue tresse sur l'épaule. Au début, je croyais qu'elle guettait l'arrivée de son prince, Shay, mais maintenant je me demande si elle n'attend pas quelqu'un d'autre – quelqu'un de fuyant et d'insaisissable : un père qui ne reviendra jamais.

Elle vit dans un monde imaginaire, ce que je comprends… Après tout, ça a été mon cas pendant longtemps. À force de me perdre dans mes rêves et mes mensonges, j'en ai oublié le présent. Or, aujourd'hui, pour la première fois, j'ai l'impression que le présent vaut la peine d'être vécu et que je me batte pour lui.

Alors je ne vais pas le mettre en péril à cause d'un coup de cœur pour un garçon.

J'ai beaucoup réfléchi, et j'ai beau retourner la question dans tous les sens, j'aboutis toujours à la même conclusion : craquer pour quelqu'un qui a une copine est une mauvaise idée, et si la fille en question se trouve être votre nouvelle demi-sœur, le scénario risque de très vite tourner à la Troisième Guerre mondiale. Je ne supporte plus de me sentir aussi coupable, je ne supporte plus d'attendre, et surtout, je ne supporte plus de rêver d'un garçon inaccessible.

Il est temps de prendre les choses en main.

D'où ma grande décision : ne plus raconter d'histoires dans le noir, ni broder autour de mon passé et fouiller dans mes souvenirs pour un garçon aux cheveux blonds qui m'écoute en grattant sa guitare bleue. Ne plus raconter d'histoires du tout, d'ailleurs. C'est une sale manie.

Shay Fletcher et moi, c'est terminé. Enfin, même si ça n'a jamais réellement commencé...

Quand Shay se présente devant la roulotte quelques jours plus tard, je suis prête.

Il frappe à la porte, puis à la vitre de la petite fenêtre.

– Cherry ? chuchote-t-il. C'est moi ! Tu dors ?

Fred jappe, mais je le retiens fermement par le collier et j'enfouis ma tête sous la couette. Je reste allongée sans un bruit jusqu'à ce que les coups s'arrêtent. J'entends ses pas s'éloigner dans l'herbe et au bout d'un moment, je finis par m'endormir à force de pleurer.

Le lendemain matin, en sortant de la roulotte, je trouve un petit morceau de papier crème accroché sur une branche de cerisier au-dessus de ma tête. Je lève le bras pour l'attraper, puis je le défroisse un peu.

Trois lignes de pattes de mouche écrites au stylo noir :

Un kimono de soie
Flotte dans les arbres
Parfum de jasmin et de larmes

Mon cœur se serre et je rougis. Shay Fletcher.

Je me laisse tomber sur les marches de la roulotte.

Est-ce que les amis s'écrivent des haïkus qu'ils accrochent dans les arbres au milieu de la nuit ? Je ne crois pas, non. Après un sursaut de culpabilité et d'espoir entremêlés, je retrouve ma détermination.

Mais pourquoi est-ce qu'on a toujours l'impression de commettre une erreur quand on choisit la voie de la sagesse ?

Si seulement Shay Fletcher pouvait disparaître de ma vie, ça serait plus simple.

Au contraire, je le vois partout : en train de regarder un DVD sur le canapé en velours bleu, de se préparer un sandwich au fromage dans la cuisine, ou de jouer de la guitare dans le hamac...

– Tu étais où ? me demande-t-il dès que nos chemins se croisent, malgré mes efforts pour l'éviter. Je suis passé te voir l'autre soir, mais tu n'étais pas là...

Je suis incapable de le regarder dans les yeux.

– Si.

– Tu devais dormir, alors. J'aurais dû frapper plus fort.

– Je ne dormais pas. Je pense juste... que ce n'est pas une bonne idée. Qu'on soit amis. Et les amis ne s'écrivent pas de poèmes...

Shay souffle sur ses mèches blondes.

– Quel poème ?

– Arrête, Shay, je sais que c'est toi.

– Tu n'as pas aimé ?

– Je n'ai pas dit ça ! Il était chouette. Mais être amis tous les deux... ça ne peut pas marcher.

– Ah bon ?

– Non. Laisse-moi tranquille. Sérieux, Shay.

Je m'attends à ce qu'il proteste, qu'il essaie de me convaincre, de me parler. Mais il se contente de sourire tristement, et de me lancer un regard accusateur, comme si j'avais mis le feu à son bonnet ou collé un chewing-gum dans ses cheveux.

Heureusement, quand Shay est dans les parages, Honey n'est jamais loin. Elle s'approche sournoisement, comme un requin.

– Viens, lui dit-elle. On a des trucs à faire...

Elle passe son bras sous le sien et l'entraîne.

Mais le répit est de courte durée.

Pendant la journée, alors qu'il est censé travailler au centre nautique, Shay parvient encore à apparaître sans prévenir. Je suis à la plage avec les jumelles, en train de piailler, rire et éclabousser Skye dans les vagues, quand il surgit de nulle part sur un canoë, suivi d'une flottille de touristes en gilet de sauvetage orange, ballottée par la mer.

– Ohé ! s'écrie-t-il en levant une rame pour nous saluer, nous arrosant au passage d'une pluie de gouttelettes.

Je ne peux pas m'empêcher de remarquer qu'il porte

encore son bonnet noir malgré le soleil de plomb. Je ne vois pas la guitare bleue, mais il est fort possible qu'il l'ait rangée au fond du canoë.

Alors je plonge sous l'eau jusqu'à ce qu'il ait disparu de l'autre côté de la pointe avec son groupe, puis je rejoins Summer qui, confortablement allongée sur le sable, lit un livre sur la danse classique.

– Ce mec est vraiment partout, je lance d'un ton agacé. On dirait un fantôme. Il n'a pas de maison ou quoi ?

– C'est vrai que Shay passe pas mal de temps à Tanglewood, reconnaît-elle. Enfin, quand il ne travaille pas. Des fois, pour plaisanter, maman dit qu'on l'a adopté.

– Génial, je grogne.

– Tu n'es pas sensible à son charme ?

Je pousse un grand soupir parce que bien sûr que si, je le suis même beaucoup trop, mais il est hors de question que quelqu'un s'en aperçoive.

– C'est bizarre, commente Summer. D'habitude, les filles se jettent sur lui dès qu'elles le voient. Toutes mes copines en sont dingues. Il est gentil, sympa et plutôt charmeur. Enfin, je ne parle pas pour moi, évidemment… Je le vois seulement comme le copain de ma sœur… mais je l'aime bien. Quand il parle à une fille, c'est comme si plus rien d'autre n'existait autour d'elle. Tu vois ce que je veux dire ?

– Non. Pas vraiment. Et pourquoi est-ce qu'il passe par ici en canoë, d'abord ? C'est une plage privée !

Skye sort de l'eau et s'enveloppe dans une serviette.

– J'aimerais bien ! plaisante Summer. Mais la plage est à tout le monde. N'importe qui peut passer à côté, se baigner ou pique-niquer. Et Shay emmène les doryphores dans les grottes des contrebandiers, ça fait partie de son boulot... Tous les touristes veulent les voir.

– C'est l'attraction du coin, ajoute Skye en se laissant tomber sur le sable. On ne peut pas y accéder en voiture ou à pied parce qu'elles sont entourées des deux côtés par des rochers et des falaises. Il y a une plage devant, mais elle est accessible seulement par bateau. Les contrebandiers y déchargeaient leur butin, et le cachaient dans les grottes pour que les douaniers ne le trouvent jamais. Il y a eu plein de trafics par ici !

– Ils trafiquaient quoi ?

– Un peu de tout : du brandy, du gin, de la soie, du coton, du café, du thé... Il y avait des grosses taxes sur les marchandises importées à l'époque, c'est pour ça que les contrebandiers les faisaient passer en douce, pour ne pas avoir à payer. Tous les gens du coin participaient. Ils avaient aménagé un chemin secret qui grimpait en pente raide le long de la colline, à travers les bois, pour remonter leurs produits... Ils gardaient ce qu'ils voulaient et emmenaient le reste en ville pour le vendre. C'était un vrai business.

Étendue sur le sable chaud, je ferme les yeux et imagine des contrebandiers en chemise de marin rayée, qui roulent des tonneaux de brandy sur la plage pour les cacher dans des grottes sombres et humides. L'un d'eux se retourne : il porte un bonnet noir et une guitare bleue. C'est là que je comprends qu'il n'y a aucune issue à mon problème.

19

Pour oublier quelqu'un, il faut s'occuper – c'est ce que recommandent tous les magazines. Et travailler le plus dur possible pour penser à autre chose. Et se persuader qu'il s'agit seulement d'un petit coup de cœur. Rien d'autre, rien de réel, rien de sérieux.

Toujours d'après les magazines, ce genre de sentiment est généralement à sens unique. Le garçon sur lequel vous craquez envahit vos rêves, votre tête et votre cœur. Vous y pensez en vous réveillant le matin et avant de vous endormir, vous imaginez un million de façons de vous retrouver avec lui, mais ça ne sert à rien parce que ce garçon, vous ne pourrez jamais sortir avec lui. Le plus souvent, c'est un acteur ou une rock star ou bien le beau gosse du coin qui ne sait même pas que vous existez. Évidemment, dans mon cas, c'est un peu plus compliqué.

Alors je m'occupe en espérant que ça passe.

Je fais de mon mieux pour choisir la solution la plus raisonnable, même si en secret, je rêve de tout autre chose...

J'essaie vraiment.

Papa avance bien dans l'ancienne étable : il a raccordé des tuyaux à l'arrivée d'eau principale et loué une bétonneuse pour poser une nouvelle dalle. Il charrie le béton, puis l'étale et le lisse jusqu'à ce que ce soit parfait. Quelques jours plus tard, on nous livre un grand évier en Inox qu'il installe lui-même. Ensuite, il pose du lino rouge brillant et monte un immense plan de travail acheté en promo chez Ikea. Je ne savais pas que mon père était capable de faire tout ça, et même lui a l'air un peu surpris et plutôt fier.

Une fois qu'il a passé deux couches de peinture blanche sur les murs et le plafond, la pièce paraît beaucoup plus lumineuse, vaste et agréable.

Papa a encore des traces de peinture dans les cheveux quand il enfile son unique costume pour aller demander un prêt à la banque. Charlotte l'accompagne, bien sûr, toute fraîche et pimpante dans une robe à motifs verts, assortie à sa veste en velours et à son vernis à ongles vert jade.

Ils forment un joli couple. Ils ont l'air intelligent, créatif et un peu bohème ; mais la pochette noire que papa a glissée sous son bras contient un business plan détaillé, logique et parfaitement étudié. Ils ont fait beaucoup de recherches tous les deux et passé leurs soirées de la semaine dernière à mettre leur dossier au point, avec des estimations de pertes et de profits, des exemples de décoration pour les boîtes et un magnifique logo.

Au cas où tout ça ne suffirait pas à convaincre la banque, la petite boîte peinte à la main, fermée par un ruban et remplie de chocolats, devrait jouer en leur faveur.

– On a un projet formidable, déclare papa. Et un produit absolument génial. Tout ce qu'il nous manque, c'est un prêt pour nous lancer!

Charlotte lisse la cravate de papa et lui rentre sa chemise dans le pantalon. Puis je les embrasse et ils grimpent dans le minivan rouge.

– Souhaitez-nous bonne chance! lance papa avec un grand sourire.

Skye et Summer, en charge du bed and breakfast pour la matinée, sortent sur le pas de la porte pour les encourager, tandis que Coco remonte de la mare et leur fait signe de la main, trois élégants canards noirs sur les talons.

La seule qui ne montre pas le bout de son nez, c'est Honey – évidemment, puisqu'elle n'a pas envie qu'ils réussissent. Elle doit être en train de leur souhaiter tous les maux de la terre.

Le minivan s'éloigne dans un crissement de graviers.

– Bonne chance ! je crie en agitant la main jusqu'à ce qu'ils aient disparu.

– Je croise tout ce que je peux, déclare Skye. Les doigts, les orteils, les yeux...

Beaucoup de choses dépendent de ce rendez-vous à la banque. Papa et Charlotte ont besoin du prêt pour lancer l'entreprise, d'autant plus que les projets de festival du chocolat sont déjà bien avancés.

Charlotte a appelé les organisateurs du marathon culinaire pour leur parler de *La Boîte de Chocolats* et de notre idée. Séduits, ils ont accepté de nous ajouter sur leur brochure et sur la carte du marathon, qui sont déjà partis à l'impression. Impossible de revenir en arrière. Quoi qu'il arrive, le dernier week-end d'août, Tanglewood House sera envahie par des dizaines de touristes.

– Je vais peindre une banderole pour le festival, annonce Skye en rentrant dans la maison pour remplir le lave-vaisselle. Et puis, on pourrait accrocher des guirlandes de drapeaux tout autour du jardin et monter les stands sous les arbres. Maman a dit qu'on va peut-être récupérer des tables de pique-nique et des chaises pour installer une espèce de terrasse de café, et vendre du chocolat chaud avec des chamallows et des milk-shakes au chocolat, et des glaces au chocolat...

– On n'aura qu'à préparer notre gâteau coca-cho-colat-cerise, suggère Summer, occupée à ranger la vaisselle dans le buffet. Il est trop bon. Et Coco peut faire son entremets au chocolat qu'on n'a pas besoin de cuire, celui qui se met juste au frigo...

– Pourquoi pas une fontaine de chocolat? je demande. J'en ai vu une, un jour, chez un chocolatier à Glasgow. Les gens pourraient tremper des fraises et des chamallows dedans, ça serait cool!

Summer sourit.

– Génial! Ma copine Evie en a eu une pour son anni-versaire, je suis sûre qu'elle voudra bien nous la prê-ter. Je vais lui demander!

Une fois la cuisine rangée, on monte préparer les chambres des clients qui doivent arriver un peu plus tard. J'aide Skye à enfiler une housse bien repassée sur une couette pendant que Summer pirouette tout autour de la pièce, un plumeau à la main.

– T'inquiète, me conseille Skye. Elle est complètement dingue de danse. On a commencé les cours ensemble, quand on avait quatre ans... mais moi je n'ai pas tenu longtemps, j'étais trop nulle. Tu en as déjà fait?

Je sursaute.

– Euh... ouais, je réponds sans réfléchir. Un peu, mais je n'aimais pas trop ça. J'ai arrêté il y a deux ans...

Pourquoi est-ce que je raconte ça? Je suis débile,

débile, débile. Les seuls cours que j'aie pris de ma vie, c'était à l'école, en sport. On a appris des danses écossaises pour la fête de l'école. Je n'étais vraiment pas douée. En général, je me retrouvais avec Frazer McDuff, qui avait mauvaise haleine, les mains moites et des lunettes cassées réparées avec du Scotch.

J'étais tellement nulle que le soir de la fête, on m'a demandé de servir les assiettes aux parents pendant le repas, pour éviter que je participe au spectacle de danse. Kirsty McRae s'est moquée de moi pendant des semaines, alors j'ai fini par lui raconter que ma mère était danseuse étoile à Tokyo, histoire de lui clouer le bec.

Évidemment, ça n'a pas marché.

Elle a éclaté de rire avant de raconter à tout le monde que j'étais une sale menteuse. Rien que d'y penser, j'en tremble encore.

– Tu t'es arrêtée à quel niveau ? me demande Summer, qui tourbillonne maintenant dans la salle de bains, les bras chargés de serviettes blanches et moelleuses. Je parie que tu étais douée ! Tu sais faire un pas de chat ? Ou un jeté ?

– Non ! je m'écrie un peu trop vite. Non... je ne sais pas le faire... enfin, ce pas-là. Je ne suis pas allée aussi loin. Et je n'ai jamais passé de niveau. C'est... euh... c'est pas pareil en Écosse. Je devais avoir deux pieds gauches...

– Ah bon? s'étonne Summer. Pas de niveaux en Écosse? Tu es sûre?

Le problème quand on raconte un petit mensonge, c'est qu'il en entraîne toujours d'autres. On ne peut jamais faire marche arrière et on s'empêtre de plus en plus pour éviter d'avouer la vérité.

– Certaine, je réponds avec assurance en tapant les oreillers et en lissant la couette. Le système est différent, à Glasgow.

Summer, appuyée contre la porte de la salle de bains, fronce légèrement les sourcils. Je vois bien qu'elle ne me croit pas, ça se lit sur son visage : elle est surprise, déçue et un petit peu énervée.

Je ne lui en veux pas vraiment.

Quand est-ce que je perdrai cette sale manie?

20

nous sommes assises toutes les trois dans l'herbe, au soleil, en train de peindre une bannière de toutes les couleurs pour le festival du chocolat, quand le minivan rouge remonte l'allée un peu après treize heures.

– Comment ça s'est passé? je crie en courant vers la voiture. Qu'est-ce qu'ils ont dit?

Papa regarde Charlotte et un grand sourire illumine son visage.

– Eh bien… je pense que c'est grâce aux chocolats, mais… la banque a approuvé notre business plan! On a obtenu un prêt pour *La Boîte de Chocolats*. Ça y est, on peut démarrer!

– On a rapporté des *fish and chips* pour fêter ça, annonce Charlotte. Allez chercher Coco et Honey, on va manger dehors…

Charlotte étale une grande nappe de pique-nique sur la pelouse, dispose des assiettes, des couverts, du ketchup et un pichet en verre rempli de jus d'orange et de glaçons. Skye et moi courons chercher des coussins pendant que Summer part en quête de Coco et Honey.

– Des frites, commente l'aînée des sœurs Tanberry en arrivant. Enfin un truc sympa.

– On t'a pris des beignets d'ananas, Honey, lui dit papa. Tes préférés, non?

Honey hausse les épaules en déballant ses frites. L'ombre d'un sourire flotte sur ses lèvres.

– Ouais, c'est vrai. Merci.

J'ai déjà mangé des Tasty Bars ratées dans un parc de Glasgow, des sandwichs oignon-fromage sur les marches d'un musée et même des hot-dogs pendant un festival de musique… mais ce pique-nique est mille fois mieux que les autres. Manger des frites au soleil devant Tanglewood House avec les sœurs Tanberry, papa et Charlotte qui sont sur un petit nuage, ça me met d'excellente humeur. J'en oublie presque le mensonge stupide que je viens d'inventer sur la danse.

Je commence à me rendre compte que je n'ai pas besoin de raconter des histoires pour m'intégrer ici… qu'il suffit peut-être que je sois moi-même. Serait-ce vraiment aussi simple que ça?

– On va pouvoir se lancer! s'enthousiasme papa en plongeant une frite dans le ketchup. Les banquiers ont trouvé notre projet très intéressant, et ils étaient impressionnés par nos recherches. Tout ce qu'il nous reste à faire, c'est leur prouver qu'ils ont eu raison de croire en nous ! Dès que j'aurai terminé cet atelier, on va mettre les bouchées doubles pour être prêts à temps pour le festival...

– On a eu des tas d'idées, annonce Skye. Maman veut monter un petit café, et nous on a pensé à une fontaine de chocolat. Je pourrais aussi dire la bonne aventure, déguisée en Gitane, sur les marches de la roulotte. Et je prédirais aux gens leur parfum de chocolat préféré, un peu comme dans *Le Chocolat* !

– J'imagine que vous n'aurez pas besoin de moi, glisse Honey l'air de rien. Mais, sinon...

Tout le monde se tourne vers elle. Sinon quoi ? Elle préférerait encore mourir que de participer au festival du chocolat ?

– Qu'est-ce qu'il y a ? aboie-t-elle en mordant dans un beignet à l'ananas.

Charlotte éclate de rire.

– Rien, ma chérie. Mais bien sûr que si, on aura besoin de toi. Tu es tellement organisée, on ne s'en sortira pas sans ton aide ! Si j'installe une terrasse de café, je serai coincée dans la cuisine à préparer toutes les commandes. Il me faudra quelqu'un pour surveiller que tout se passe bien, quelqu'un de fiable.

Honey hausse un sourcil.

– Oui, je pourrais sans doute m'en charger...

– Génial ! se réjouit Charlotte. Et j'allais demander à Shay de s'occuper de la sono, pour qu'on ait un peu de musique. Ça va être une super journée !

– Attendez, intervient papa. J'ai mis quelque chose au frais, au cas où le rendez-vous à la banque serait un succès... J'ai failli oublier. Il faut fêter ça !

Quelques instants plus tard, papa fait sauter le bouchon d'une bouteille de champagne et remplit le verre de Charlotte, puis le fond des tasses dépareillées qu'on lui tend.

– À *La Boîte de Chocolats* ! trinque-t-il. Et à la banque, qui nous a accordé le prêt, et à vous toutes pour avoir cru à mon idée farfelue. Vous ne le regretterez pas, je vous le promets !

– C'est ça, marmonne Honey pendant qu'on lève nos verres.

C'est la première fois que je bois du champagne ; ça a le goût du bonheur, comme un rayon de soleil glacé et pétillant. Les bulles explosent sur ma langue et me donnent envie de rire.

– Je voulais aussi vous remercier, continue papa en levant à nouveau son verre. Vous toutes... Skye, Summer, Coco et Honey... pour nous avoir accueillis dans votre famille, Cherry et moi. Pour nous avoir donné notre chance. Je sais que ça n'a pas été facile. Et toi aussi, Cherry, je te remercie pour m'avoir supporté pendant si longtemps, pour avoir accepté de tout recommencer ici, et pour me suivre dans mes plans tordus…

Puis il se tourne vers Charlotte et son visage s'illumine.

– Enfin, plus que tout, je voudrais remercier Charlotte, qui a ramené le soleil dans ma vie, m'a réveillé, m'a prouvé que les rêves peuvent se réaliser et que les bonnes choses valent la peine qu'on se batte pour elles…

– Tu vas nous faire pleurer, raille Honey, mais Skye la fait taire d'un coup de coude.

C'est à ce moment-là que la situation dérape.

Papa plonge la main dans la poche de son costume et en sort une boîte minuscule entourée d'un ruban. Il la tend à Charlotte. Les yeux écarquillés, elle prend la petite boîte peinte à la main et l'ouvre doucement. Tous les regards sont rivés sur elle, personne ne dit mot, et un mauvais pressentiment m'envahit parce que ce geste a quelque chose de si théâtral, de si énorme que ça me fait un peu peur.

« Non. Non, il n'a quand même pas… »

Enfin, la boîte s'ouvre et je pousse un soupir de soulagement : à l'intérieur, il n'y a qu'un chocolat en forme de cœur orné d'un petit tourbillon blanc.

– Oh, c'est adorable ! s'écrie Charlotte. Merci, Paddy !

– Il lui a donné son cœur, minaude Coco en battant des cils comme une star de cinéma.

– Et tu crois qu'elle le trouve à croquer ? demande Skye. Vous pigez ? À croquer ?

– Oh, ça suffit, grogne Honey.

– Il faut que tu goûtes, Charlotte, explique papa. C'est un nouveau parfum. Je l'ai inventé exprès pour toi...

Alors Charlotte porte le petit cœur à ses lèvres et en croque un morceau. Soudain, elle fronce les sourcils puis l'examine de plus près. Le temps se fige tandis qu'elle l'ouvre en deux, gratte le chocolat du bout du doigt... C'est là que j'aperçois un reflet doré, un éclat de diamant, et que je comprends.

– Paddy... balbutie Charlotte. Qu'est-ce que...

– Oh... la... vache... souffle Summer.

– Je lis ton avenir dans le chocolat, dit Skye d'un ton mystérieux. Et je prédis un « et ils vécurent heureux... » !

– Veux-tu m'épouser, Charlotte ? demande papa, au cas où elle n'aurait pas saisi le message. Il n'y a rien que je souhaite davantage, rien qui me rendrait plus heureux. On pourrait tous former une vraie famille...

Charlotte lui passe un bras autour du cou et l'embrasse sur l'oreille.

– Oui. Oh, Paddy, bien sûr que oui !

– C'est trooooop romantique! s'écrie Summer.

– Un mariage! se réjouit Coco. Je pourrai être demoiselle d'honneur?

Charlotte sort la bague du cœur en chocolat.

– Oh... oh... ouah! Elle est magnifique! Merci, Paddy!

Elle rayonne tellement que son sourire pourrait éclairer tout le pays. Skye, Summer et Coco se mettent à applaudir en poussant des cris. Je me demande pourquoi je reste pétrifiée alors que je suis contente pour papa et Charlotte, vraiment... mais... il n'empêche que ça fait mal.

Et apparemment, je ne suis pas la seule à avoir cette réaction.

Honey a l'air sous le choc. Elle ouvre de grands yeux et sa bouche tremble, comme ses mains serrées autour de sa tasse de champagne.

– Non, dit-elle d'une voix qui n'est d'abord qu'un murmure, puis qui se transforme en gémissement. Non! Maman, comment peux-tu faire ça? Comment peux-tu parler de te marier alors que tu as déjà un mari? Tu te souviens? Mon père?

– Hé là, Honey, intervient papa en levant les mains en signe de paix. Calme-toi...

Mais Honey est tout sauf calme.

– Ne me dis pas ce que je dois faire! hurle-t-elle. Tu n'es pas mon père et tu ne le seras jamais! T'es fier de toi, hein? Avec tes histoires de «vraie famille», mais tu peux dégager, parce qu'on est déjà une vraie famille et on n'a pas besoin de toi!

– Ça suffit! crie Charlotte. Arrête, s'il te plaît! Pourquoi ne peux-tu pas te réjouir pour moi? Pourquoi ne peux-tu pas accepter ça?

– Parce que ça craint! glapit Honey. Ça craint! Tu n'es pas chez toi ici, Paddy Costello! Tu t'es incrusté chez nous et tu as endormi tout le monde avec tes manières mielleuses et tes chocolats pourris... mais avec moi, ça ne prend pas. Je vois très bien qui tu es. Et je te déteste, OK? JE TE DÉTESTE!

À ces mots, elle se lève d'un bond et part en courant, ses cheveux blonds flottant derrière elle.

Papa a l'air horrifié. Il a raté son coup, choisi le mauvais moment. Les choses se passaient plutôt bien, mais c'était trop tôt. Honey a besoin de beaucoup plus de temps pour nous accepter. D'une vie entière, si ça se trouve.

– Tu crois qu'on devrait y aller? demande Summer d'une petite voix. Essayer de lui parler?

– Non, répond Charlotte, encore un peu tremblante. Laisse-la, Summer. Laissons-la se calmer. On ne va pas continuer à lui courir après et céder à tous ses caprices. Ça fait trop longtemps qu'on marche sur des œufs à cause d'elle et qu'on se retient de respirer de peur que ça la dérange... Je suis désolée, mais j'en ai assez de mettre ma vie entre parenthèses. C'est terminé. Ne peut-elle pas comprendre que j'ai des sentiments, moi aussi ? Pourquoi ne peut-elle pas se réjouir pour nous ?

Charlotte serre la main de papa en souriant, mais ses yeux sont pleins de larmes.

21

Ensuite, les choses ne font qu'empirer.

Quand Shay arrive, bronzé et parfumé par les embruns après sa journée au centre nautique, Charlotte lui conseille de prendre Honey avec des pincettes parce qu'elle est en colère. Il se contente de lever les yeux au ciel, avant de me fusiller du regard comme si j'étais une tueuse d'enfants ou une étrangleuse de chatons. Le genre de regard qui me fait supposer que lui aussi trouve cette histoire de «ne pas être amis» difficile, et qu'il m'en veut. Le genre de regard qui prouve également qu'il en a assez de prendre Honey avec des pincettes.

Je peux comprendre.

En tout cas, ni lui ni Honey ne descendent pour le dîner. Un peu plus tard, alors qu'on a déjà englouti la moitié de nos assiettes de spaghettis bolognaise, on entend des bruits de dispute et des portes qui claquent.

– Mon dieu, murmure Charlotte. Espérons que tous les hôtes du bed and breakfast soient sortis ce soir… ou sourds. Qu'est-ce qui se passe encore ?

– On dirait qu'elle s'en prend à Shay, répond papa. J'espère qu'il a pensé à mettre son gilet pare-balles.

– Ils ne se disputent jamais, d'habitude. Shay est tellement patient, souligne Skye d'un ton inquiet.

C'est là que Shay déboule dans la cuisine, le visage sombre et la guitare bleue sur le dos.

– Désolé les gars, lance-t-il, mais je n'en peux plus… Charlotte se lève.

– Ça va ? Allons, Shay, quoi qu'il se passe, ça ne doit pas être si grave… Viens t'asseoir, calme-toi…

Mais Shay secoue la tête et sort en claquant la porte.

Bien plus tard, alors que je descends vers la roulotte en compagnie de Fred, j'entends un air de guitare triste, si faible qu'on le distingue à peine. Je dépasse la roulotte et traverse la pelouse en respirant l'odeur de l'herbe fraîchement coupée et de la nuit. Shay n'est pas là.

Puis j'entends à nouveau, au loin, quelques notes de guitare qui flottent vers moi dans le noir. À pas de loup, je franchis le portail et m'avance jusqu'au bord de la falaise, guidée par la musique. Shay est en bas – silhouette sombre accroupie sur les rochers face à la mer.

Je ne sais pas vraiment pourquoi je descends. Il fait nuit, les marches sont glissantes et je suis censée me tenir à l'écart de Shay Fletcher. Mais voilà que je me retrouve sur la plage, les pieds enfoncés dans le sable doux, les cheveux soulevés par la brise qui souffle de l'océan.

Shay est assis, ses jambes maigres croisées devant lui, la guitare bleue sur les genoux. Il se tourne vers moi et pour une fois, il n'a pas du tout l'air content de me voir. Il paraît tendu, renfrogné et en colère.

– Toi, lâche-t-il.

J'encaisse le coup sous le clair de lune.

– Oui, moi.

– T'es venue te marrer un peu ? Genre « je te l'avais bien dit » ?

– Euh, pas vraiment, non. Je m'inquiétais pour toi.

Shay jette sa guitare dans le sable.

– Je ne sais même pas pourquoi je me prends la tête, soupire-t-il. Je fais de mon mieux pour plaire à tout le monde, je travaille dur. Je viens voir Honey tous les soirs. Tu me dis de ne plus t'approcher alors je le fais, même si c'est le truc le plus stupide que j'aie jamais entendu. Mais personne, personne ne se demande jamais comment je vais. Je suis quoi, une machine ? Les gens peuvent me hurler dessus et me traiter de tous les noms et moi, il faut que je reste là et que j'encaisse ? Ras le bol !

Ma surprise et ma colère s'évanouissent. J'aimerais avoir le courage de m'approcher de lui comme il l'a fait quand je me suis mise à pleurer en lui racontant l'histoire du kimono. Mais je n'y arrive pas. Alors je m'assieds sur le sable fin entre les rochers, toute tremblante.

– Franchement, Honey a un problème. Elle a un fond méchant. Je ne sais même pas ce que je fiche avec une fille comme elle.

– Tu l'aimes, je réponds, bien que les mots me brûlent les lèvres. C'est ta copine.

– Je ne l'aime pas, rétorque-t-il dans le noir. Elle ne me connaît même pas. Elle ne me pose jamais de questions sur ce qui se passe dans ma vie. Tout tourne toujours autour d'elle. Pourtant, moi aussi, des fois, j'aimerais bien parler de certains trucs. Tu me connais mieux qu'elle !

Mon cœur fait un bond dans ma poitrine.

– Alors comme ça, Paddy et Charlotte sont fiancés ? Eh bien tant mieux. Ce n'est pas la fin du monde, si ? Ils sont heureux ensemble, c'est un crime ? Je sais que Honey est triste à cause du divorce, mais au bout de trois ans, elle pourrait peut-être comprendre que tout est fini entre ses parents. Elle croit encore que son père va revenir, alors qu'il n'est même pas foutu de lui envoyer un texto de temps en temps. C'est un abruti, il n'y a vraiment qu'elle pour refuser de l'admettre !

Shay lève la tête pour contempler les étoiles.

– Honey a un plan, le pire plan du monde. C'est un genre de chantage : elle veut que Charlotte choisisse entre elle et Paddy.

Un pressentiment m'envahit, lourd et inquiétant. Il n'y a rien de plus cruel que de demander à Charlotte de choisir entre mon père et sa fille... D'une façon comme de l'autre, ça se terminera mal – pour Charlotte en tout cas.

– Elle n'a pas le droit ! je m'écrie.

– Honey se moque des règles, tu n'as pas remarqué ? T'inquiète, je lui ai dit que son idée était nulle... Je ne crois pas qu'elle ira jusqu'au bout. Enfin, j'espère pas.

Il soupire.

– Elle a accepté de renoncer à son plan pour le moment, mais elle s'en est prise à moi. Elle m'a traité de menteur, de sale type, de traître. J'en ai vraiment marre, Cherry. Il y a déjà assez de gens qui me disent que je ne vaux rien...

Soudain, il se lève et s'approche du bord de l'eau, ramasse une pierre plate et la lance. Elle fait trois, quatre, cinq ricochets avant de disparaître sous la surface. Je l'imite : mon galet plonge directement dans l'eau sans laisser de traces. Il faut dire que je n'avais pas franchement l'occasion de m'entraîner aux ricochets quand je vivais à Glasgow.

Shay lance encore quelques cailloux, puis il enfonce les mains dans ses poches et nous nous mettons à marcher côte à côte le long de la plage.

Il a pourtant l'air de quelqu'un qui a toujours eu ce qu'il voulait. Mais je ne pense pas qu'il se considère si chanceux.

– Qui d'autre te dit que tu es nul ? je demande doucement.

Il éclate de rire, un rire dur et sans joie.

– Mon père. Mon père trouve que je suis un bon à rien. Il me le répète à longueur de journée. Il me déteste, il déteste tout ce que j'aime. Il n'est jamais venu voir mes spectacles de Noël à l'école ou mes concerts. Au collège, j'ai joué le premier rôle dans la pièce de fin d'année, mais il a décrété que c'était un truc de mauviettes. Il déteste ma musique, il déteste mes cheveux, il déteste mes vêtements. Ce que je fais n'est jamais assez bien pour lui.

– Mais tu travailles avec lui dans son centre nautique, non ? Tu apprends la voile aux touristes et tu les emmènes en expédition dans les grottes des contrebandiers, et tu traînes des cinglés sur des bananes gonflables à travers la baie. Il doit être super fier !

Shay courbe le dos.

– Non, il n'est pas fier. Il est fier de mon frère, Ben. Lui, il aime le surf, la voile, il joue au foot, il est fort et costaud et il a la tête sur les épaules. Il est en fac de sport et il finira sans doute par s'associer avec mon père. Pas moi. Toutes ces activités de plein air, c'est pas mon truc. Papa sait que je déteste ça et que, dès que je pourrai, je me tirerai d'ici pour étudier la musique quelque part, n'importe où, du moment qu'il ne peut plus me crier dessus.

– Oh, Shay, je soupire, je suis désolée. Alors, qu'est-ce que tu vas faire ?

Il me regarde et ses grands yeux vert océan me donnent le vertige, comme la première fois qu'on s'est vus. J'en ai le souffle coupé.

– Comme d'habitude, sûrement. Me taire et encaisser. J'ai envie d'une vie tranquille. Alors je vais continuer à servir d'esclave à mon père. C'est pas comme si j'avais le choix, hein ?

– Et, pour Honey ? je souffle.

Shay soupire.

– J'ai pitié d'elle. Mais je ne l'aime pas. Il y a des fissures de la taille du Grand Canyon dans notre relation même si, des fois, j'ai l'impression d'être le seul à m'en rendre compte. Le problème, c'est que je n'ai pas assez de cran. Je me plais bien ici... sur la plage, à la caravane... à Tanglewood.

Il passe une main dans ses cheveux blonds.

– Je me sens chez moi. Charlotte ne m'a jamais donné l'impression d'être nul. Elle m'accepte. Comme

Skye, Summer et Coco. Et Paddy aussi, et toi. Surtout toi... Je t'intéresse. Enfin, avant. Et je n'ai pas envie de perdre ça.

– Tu ne le perdras pas. Et tu m'intéresses toujours, tu le sais bien.

– Peut-être... Mais tout est tellement embrouillé. Ces menaces de Honey... À force, je me demande si je la connais vraiment.

Sans savoir d'où me vient ce courage, je prends la main de Shay dans le noir et je l'attire vers le bord de l'eau.

– Allez. T'inquiète pas. Je parie que Honey ne pensait pas vraiment ce qu'elle disait. Oublie ça. Viens, on va se baigner!

Je me débarrasse de mes sandales d'un coup de pied et je cours vers les vagues éclairées par la lune. Shay éclate de rire, retire ses Converse et me suit.

Un flot de souvenirs déferle sur moi.

– Ma mère me disait toujours de faire un vœu quand j'entrais dans la mer, je raconte en claquant des dents, aussi surprise que lui de m'entendre lui faire cette confidence. Elle disait que l'océan emporterait mes rêves, les réaliserait puis reviendrait les déposer sur le sable...

– C'est vrai? demande Shay en souriant. Cool! Il faut faire un vœu alors!

Il me prend la main, je ferme les yeux et de très loin,

juste un peu trop loin pour que je m'en souvienne tout à fait, me vient une impression de déjà-vu : les yeux fermés, un rire, une main qui serre la mienne.

Je devrais souhaiter de trouver le bonheur ou un endroit où je serai à ma place. Je devrais souhaiter d'avoir des amis, une famille unie, ou que tout se passe bien ici, comme je l'ai tant rêvé et espéré.

Au lieu de ça, je gâche mon vœu pour quelque chose qui n'arrivera jamais...

Je souhaite que Shay Fletcher tombe amoureux de moi.

22

Shay et Honey se réconcilient et soudain, on dirait que ma demi-sœur vient de subir une greffe de la personnalité. Elle se met à venir déjeuner avec nous, à sourire, à bavarder, à aider Charlotte pour le service. Elle m'adresse même la parole – certes, juste pour me dire «Passe-moi le sel», mais ça me fait tout bizarre.

– Elle mijote un truc, déclare Shay d'un air sombre. Je sais pas quoi, mais j'en suis sûr !

Skye, Summer et Coco se montrent plus optimistes.

– C'est sûrement parce qu'elle a prévu un nouveau week-end à Londres, chez papa, me confie Skye. Juste elle, cette fois. Elle partira le lendemain du festival du chocolat et y restera trois jours. Ils vont voir une pièce de théâtre, faire du shopping, se promener dans les galeries d'art… Papa veut passer un peu de temps en tête à tête avec sa fille aînée, apparemment.

Summer a l'air sceptique.

– Ah, depuis quand ?

– Depuis que Charlotte l'a appelé pour lui dire que Honey avait vraiment besoin de lui, sans doute. Ne va pas croire qu'il a eu l'idée tout seul.

– En tout cas, ça lui a redonné le moral, commente Coco.

– Espérons que papa ne va pas annuler cette fois-ci, ajoute Skye. Sinon elle va carrément péter les plombs.

Au moins, on est toutes d'accord là-dessus.

Que ça dure ou pas, la bonne humeur de Honey écarte un peu les nuages qui planaient au-dessus de Tanglewood House depuis notre arrivée. Tout semble plus facile, d'un coup.

Un électricien vient raccorder l'atelier à l'électricité et petit à petit, le matériel arrive. Papa le stocke dans l'ancienne sellerie, parce qu'il préfère attendre la fin du festival pour se plonger dans l'étude de l'ensemble du processus de fabrication. Pour l'instant, il sélectionne simplement huit parfums à préparer. Pas de betterave ni de curry cette fois, mais il a inventé un nouveau chocolat vraiment délicieux à base de cerises cueillies dans les arbres au-dessus de la roulotte.

Comme il faut aussi leur trouver des noms, tout le monde se creuse les méninges, même Honey. On choisit des expressions qui mettent l'eau à la bouche comme «Délice de fraise», «Fondant au café», «Cœur de whisky» ou «Amour de cerise». Le dernier me fait rougir parce que, vu le sens de mon prénom, je me sens un tout petit peu trop concernée.

Il ne reste plus qu'une semaine avant le festival et la panique commence doucement à nous gagner. Charlotte a presque fini le site Web et les arbres se couvrent de nouvelles guirlandes lumineuses et de banderoles faites maison.

On reçoit un énorme paquet de feuilles cartonnées prédécoupées selon notre patron, que Charlotte et papa se chargent de décorer de tourbillons de peinture acrylique. Honey a eu l'idée d'utiliser des feutres dorés et argentés pour ajouter des cœurs, des fleurs et des étoiles par-dessus, à côté de mots comme «délice», «rêve» ou «paradis du chocolat».

– Parfait, la remercie papa. Tu es vraiment douée.

– C'est vrai? Merci! Si je peux aider…

Je me demande pourquoi j'ai toujours envie de lui coller des baffes. À croire que je suis méchante et rancunière…

Évidemment, je me retrouve à monter les boîtes déjà décorées, autrement dit la partie la moins passionnante. Skye, Summer, Coco et moi passons des journées entières à plier, glisser les petites languettes dans les encoches, poser du papier de soie doré dans le fond puis empiler les boîtes prêtes à accueillir des chocolats tout frais le jour du festival. On coupe un million de rubans rouges pour les fermer, on agrafe un million de brochures qui présentent *La Boîte de Chocolats* et expliquent comment commander par Internet. Enfin, j'ai vraiment l'impression qu'il y en a un million.

Papa se met à travailler dix heures par jour à l'atelier pour préparer des tonnes de ganache, napper, décorer et glacer tout ça avant samedi. Il a l'air tellement heureux, tellement confiant.

Skye a bien réfléchi à son stand de voyante. Elle a rempli l'ancien bocal de Rex avec du papier aluminium, du papier de soie doré et de grosses poignées de paillettes, puis l'a retourné : on dirait une vraie boule de cristal.

– Je leur lirai les lignes de la main et je regarderai dans mon bocal de cristal, puis je leur annoncerai quel chocolat leur apportera le bonheur. Et après, avec un peu de chance, ils iront en commander des tonnes à Paddy !

– Tu es un génie, je lui dis.

– Tu crois que je devrais me déguiser ? Avec des grands anneaux aux oreilles et un foulard sur la tête ?

Summer lève le nez d'un de ses livres de danse.

– Et pourquoi pas en fée du chocolat ? Tu pourrais avoir un tutu marron et crème, des petites ailes, des chaussons de danse marron et une baguette magique... En fait, on pourrait toutes se déguiser comme ça ! Ça serait cool !

– Oh oui! s'écrie Skye. Des hauts en velours marron avec des bretelles en ruban, et des jupes en tulle crème et marron... Je peux fabriquer ça, j'en suis sûre!

– Et je dois avoir assez de vieux chaussons de danse, ajoute Summer en souriant. Ils sont un peu usés, mais comme on va les teindre...

– J'ai encore des ailes de fée, dit Coco. Et il y en a une vieille paire dans le coffre à déguisements. Et puis on pourra sûrement emprunter les autres à quelqu'un...

Je me mords les lèvres. J'imagine déjà les sœurs Tanberry déguisées en fées du chocolat, avec leurs cheveux dorés et leur belle assurance. Mais bizarrement, je ne me vois pas vraiment dans le tableau.

– Qu'est-ce qu'il y a, Cherry? demande Coco en remarquant mon air renfrogné.

– Je me demandais juste... pour les fées du chocolat, vous parliez de moi aussi?

Summer roule des yeux.

– Euh, allô, y a quelqu'un? Évidemment, toi aussi! Tu croyais qu'on allait te laisser en plan? On est toutes dans le même bateau!

En fin d'après-midi, elle rapporte plusieurs mètres de tulle crème et marron doré et du velours chocolat tout doux de son cours de danse. On se met aussitôt au travail. Skye coud cinq débardeurs en velours en utilisant du ruban pour les bretelles, pendant que

Coco fabrique des baguettes magiques avec des bâtons ramassés dans le jardin qu'elle badigeonne de peinture argentée, et sur lesquels elle fixe des étoiles en carton recouvertes de colle pailletée. On me confie la tâche de froncer plusieurs couches de tulle bicolore et de les fixer sur des bandes élastiques. Quant à Summer, elle teint de vieux chaussons de danse en marron satiné puis remplace les lacets par des rubans chocolat tout neufs.

– On est superbes! s'exclame Skye. Une vraie bande de sœurs au chocolat!

Je me dis que c'est peut-être vrai.

23

Je suis réveillée par un air de guitare triste et une odeur de fumée près de la roulotte. En ouvrant la porte, je découvre que Shay a allumé un tout petit feu de camp sur lequel il est en train de faire griller des chamallows.

– Salut, dit-il.

– Salut.

– J'y comprends plus rien, avec Honey, explique-t-il en faisant tourner le chamallow tout doucement. Je crois que je la préférais quand elle était insupportable et asociale. Parce que là, elle est vraiment bizarre. Franchement, sans toi, je péterais les plombs. Ça fait du bien de passer du temps avec quelqu'un qui a les pieds sur terre.

Je me retiens d'éclater de rire.

– Moi ? Tu es sérieux ? Alors là, Shay, tu me connais vraiment mal. Ça fait des années que je vis dans un monde imaginaire !

Il sourit.

– Mais je l'aime bien, ton monde imaginaire. Et je connais plein de trucs sur toi, Cherry. Sur tes parents, ton enfance et… tout ce qui fait que tu es toi.

– Méfie-toi, c'est peut-être des histoires.

– Peut-être. Et alors ?

On mange les chamallows grillés puis Shay joue encore un peu de guitare, et je lui demande des nouvelles de son travail. Il répond que c'est comme d'habitude, autrement dit, affreux.

– Ce matin, mon père m'a fait gratter les coquillages collés sur la coque d'un voilier pendant deux heures. Puis j'ai dû le repeindre avec un vernis de protection qui sent hyper mauvais, avant de trimbaler un paquet de doryphores jusqu'aux grottes des contrebandiers…

– J'aimerais bien les voir. Les grottes, je veux dire. Skye m'en a parlé, il paraît que ce n'est pas facile d'y aller à pied, que le chemin est super en pente…

– Oui et ça prend pas mal de temps. Je t'emmènerai en bateau, un jour.

– Chouette.

Il accroche sa guitare à un arbre avant de jeter une nouvelle bûche dans le feu.

– Tu ne dors jamais ? je lui demande. On dirait que tu passes ton temps à travailler, à jouer de la guitare et à allumer des feux de camp la nuit. Tu dois être un animal nocturne, du genre chouette ou renard.

Il rit.

– Je vais rentrer chez moi, promis. Mon père est déjà super énervé parce qu'il m'est arrivé plusieurs fois de rentrer tard. Il serait furieux si je passais la nuit dehors, ça c'est sûr. Au fait, il n'est toujours pas d'accord pour que je vienne vous aider le jour du festival... Il croit que c'est un rassemblement de hippies, pas juste un coup de pub pour vendre du chocolat. On ne peut jamais rien lui expliquer, de toute façon.

– J'espère qu'il va finir par dire oui...

– Y a intérêt. Bon, mais à part ça, j'ai vraiment envie de connaître la fin de ton histoire. Qu'est-il arrivé à Sakura ?

Je m'enveloppe dans ma couverture et je plonge mon regard dans les flammes.

– Le père de Sakura était très malheureux. Il se retrouvait seul avec un enfant à élever. Alors Sakura et lui prirent l'avion pour rentrer en Écosse. Au-dessus des nuages, le ciel était bleu, et Sakura se mit à espérer que la couleur allait revenir dans sa vie. Mais lorsqu'ils atterrirent, le ciel était devenu tout gris.

Paddy trouva du travail dans une usine de chocolats, Sakura prit le chemin de l'école, et rien ne fut plus comme avant. Parfois, Paddy commençait très tôt le matin, mais il était toujours là le soir pour la récupérer après la classe ; et dans sa poche, il y avait toujours une Tasty Bar ratée qu'ils mangeaient ensemble.

Un matin, la voisine d'en face préparait Sakura pour l'école. Comme il pleuvait, Sakura courut jusqu'à la chambre de son père et en sortit l'ombrelle de papier que Kiko avait utilisée le jour de la fête. La vieille femme fronça les sourcils en demandant si tous les parapluies étaient comme ça au Japon. Sakura répondit que oui, alors qu'en réalité, elle voulait simplement jouer les grandes et se promener sous l'ombrelle colorée qui avait appartenu à sa mère.

Je pousse un grand soupir.

– Malheureusement, Sakura n'était pas habituée à la pluie écossaise. L'ombrelle fut vite détrempée, le vernis se liquéfia et le papier se ramollit. Le temps d'arriver à l'école, le visage et les mains de Sakura étaient couverts de peinture rouge, rose et turquoise, et l'ombrelle complètement fichue...

– Aïe, commente Shay. Comment a réagi ton père ?

– Il a dit qu'elle était encore très jolie, même avec ses bords déchirés et ses couleurs délavées. L'ombrelle n'était pas vraiment fichue : elle avait juste un peu vécu.

Shay éclate de rire.

– Ton père est cool, dit-il, ce qui me fait sourire.

– La vie de Sakura n'était plus du tout la même. En Écosse, les gens l'appelaient Cherry, comme la cerise du cerisier, et ils parlaient la langue de son père, qu'elle n'avait jamais entendue dans la bouche de sa mère. Petit à petit, elle se mit à oublier… Elle oublia Kyoto, les fleurs de cerisier dans le parc, la langue qu'on parlait là-bas et les vêtements que les gens portaient les jours de fête. Elle oublia les temples, les pagodes et les néons qui illuminaient la ville la nuit. Mais jamais, jamais, elle n'oublia sa maman.

Shay est assis dans la lumière du feu, les bras serrés autour de ses genoux.

– C'est très beau, murmure-t-il. Mais tellement, tellement triste…

Je soupire à nouveau.

La première fois que Shay est venu à la roulotte, il y a quelques semaines, mes histoires étaient un moyen de me dérober, de le tenir à distance. Un petit bout d'histoire que je lui donnais pour qu'il s'en aille. Ça me semblait équitable. Sauf que ça n'a pas vraiment marché. Les histoires sont trop personnelles, trop puissantes. Au lieu de repousser Shay, elles l'ont attiré un peu plus. Elles ont tissé leur toile autour de nous deux et maintenant, on ne peut plus s'en libérer. De toute façon, je n'en ai plus envie.

Je suis fatiguée de lutter.

Je me tourne vers Shay qui me regarde à travers les flammes, le visage éclairé d'une lumière dansante et orangée. Je finis par détourner les yeux car mes joues sont brûlantes, et le feu n'y est pour rien.

24

Les jours suivants passent en un éclair.

Charlotte emprunte des caisses entières de tasses, de soucoupes, d'assiettes et de couverts à la salle communale de Comber's Tor, un village voisin, plus dix tables à tréteaux et une pile de chaises pliantes. On installe quatre tables sous les arbres, là où le sol est à peu près plat, pour faire les stands, et le reste au fond, le long du petit muret. Comme ça, les visiteurs pourront boire un verre en admirant la vue sur la plage.

Shay aide papa à monter la sono et lui prépare comme promis une playlist bien sirupeuse.

Son père n'a pas changé d'avis. Il exige que Shay travaille le samedi du festival. Il prétend que les weekends sont toujours très chargés pour le centre nautique, surtout celui-ci, puisqu'il y a encore plus de touristes que d'habitude à cause du marathon culinaire.

— Il ne cédera pas, nous annonce Shay d'un air

sombre. Je lui ai expliqué que c'est très important, mais non. Je ne suis pas son fils, je suis son esclave. Ça craint.

– Ne t'inquiète pas, Shay, le rassure Charlotte. On va se débrouiller.

On travaille tous comme des fous.

Les robes des fées du chocolat sont terminées et suspendues sur le palier, prêtes pour le grand jour, à côté des baguettes et des ballerines assorties. Charlotte fabrique des menus pour le café et indique le nom des chocolats et leur prix sur des panneaux. On accroche des carillons et des clochettes dans les branches, et on achète un carnet de croquis neuf dans lequel les visiteurs pourront laisser des commentaires et leur adresse, ce qui nous permettra de leur envoyer des brochures après le festival.

Le frigo géant dans l'atelier de papa est plein à craquer de plateaux de chocolats, qui commencent aussi à envahir celui de la cuisine. Pendant que Charlotte fait des gâteaux au chocolat, des brownies et des montagnes de profiteroles, les filles et moi préparons deux gros gâteaux Coca-chocolat-cerise et suffisamment d'entremets au chocolat pour nourrir toute la région.

Même Honey participe. Son voyage à Londres se précise, elle a réservé ses billets de car, son sac est prêt, ce qui veut dire qu'elle est serviable, efficace et presque agréable. Elle prend le commandement des opérations dans la cuisine, répartit les tâches et nous surveille, si bien qu'on arrête de faire les andouilles et qu'on finit par produire à la chaîne une quantité astronomique de superbes desserts chocolatés.

– Travail d'équipe, explique-t-elle avec assurance. Et un bon chef. Summer, ça fond cette nouvelle plaquette de chocolat ? Skye, tu as fini le glaçage à la vanille ? Coco, tu peux remplir le lave-vaisselle et empiler les assiettes par ici ?

Elle semble avoir oublié qu'il n'y a pas si longtemps, elle ne faisait équipe avec personne.

– Je parie que ta dernière servante est morte d'épuisement, grogne Coco.

– Pas du tout, elle est juste devant moi, réplique Honey. Attends une seconde, Cherry, tu as du chocolat plein la figure…

Elle m'essuie doucement la joue avec une serviette en papier et j'ai un léger mouvement de recul, persuadée qu'elle va en profiter pour me balancer un coup de poing ou une remarque désagréable, mais rien. Je finirais presque par l'aimer, cette Honey nouvelle version, et je me sens terriblement coupable…

Quand elle est gentille avec moi, ça devient beaucoup plus dur de justifier le fait que je craque pour son copain.

Le jour du festival du chocolat arrive enfin, sec et ensoleillé. Je cours jusqu'à la maison en pyjama, je me lave à toute vitesse, j'avale quelques tartines, puis je monte dans la chambre de Skye et Summer pour m'habiller.

– Ça fait des années que je n'avais pas mis des ailes de fée ! s'amuse Skye en tournant sur elle-même dans son tutu chocolat. C'est plutôt chouette !

Elle a noué une fleur en tulle crème et marron et une cascade de rubans couleur chocolat dans ses cheveux blond vénitien, qu'elle a attachés et tressés en y ajoutant des perles, des clochettes et des bouts de dentelle. Il faut dire que l'art du déguisement, ça la connaît, puisqu'elle s'habille tous les jours en espèce de fée hippie.

Très différente, Summer a fière allure elle aussi avec ses cheveux relevés en chignon de danseuse et ses épaules couvertes de laque pailletée. Elle porte le haut en velours et le tutu comme un costume de scène et quand elle enfile ses chaussons marron, elle croise consciencieusement les rubans autour de ses chevilles.

Coco fait irruption dans la pièce comme un ouragan. Elle agite sa baguette d'un air menaçant et annonce qu'elle va changer ses sœurs en grenouilles.

– Est-ce que Honey se déguise ? j'ose enfin demander.

– Je crois, oui, répond Skye. En tout cas, elle a dit qu'elle le ferait…

La porte s'ouvre et Honey apparaît. Elle semble tout droit sortie d'une séance photo pour *Vogue* avec ses cheveux qui lui tombent jusqu'à la taille, ses yeux maquillés au khôl et son assurance si naturelle. Sur elle, le costume de fée bricolé a l'air d'une création de grand couturier.

Et puis il y a moi.

Je ne me suis jamais déguisée avec des ailes de fée et des boas en plumes. Mon père ne pensait pas à ce genre de choses et comme les autres enfants ne m'invitaient jamais, je ne risquais pas de jouer aux fées chez eux. Et j'ai beau avoir raconté le contraire à Skye et Summer, je n'ai jamais pris de cours de danse ni participé à des spectacles de fin d'année. Dans les pièces de Noël, je jouais toujours un mouton ou un âne, sauf une fois où j'ai eu l'immense privilège d'incarner un berger avec un torchon rayé sur la tête et la robe de chambre de papa en guise de costume.

J'ai toujours été l'exclue, celle qui regarde les autres, assise sur le côté.

J'aimerais pouvoir leur expliquer tout ça, mais à cause des petits mensonges que je leur ai racontés, ça va être difficile. Je regarde Skye, Summer et Coco qui rient, bavardent, ajustent leur tutu et tourbillonnent devant le miroir. Est-ce que je pourrais malgré tout leur dire la vérité ? Avouer que je n'ai jamais pris de cours de danse, que je n'avais pas des tonnes d'amis, que je vivais dans un petit appartement et pas dans un immeuble luxueux. Je sais maintenant qu'elles ne m'en voudraient pas. Peut-être même qu'elles comprendraient pourquoi j'ai menti.

Et puis mes yeux se posent sur Honey qui incline la tête, sur ses longs cheveux qui ondulent... Elle, en revanche, ne comprendra jamais, jamais de la vie.

Alors j'abandonne mes projets de confession et prends mon costume de fée en soupirant.

Même si je ne suis pas vraiment adepte des tutus, dès que j'enfile ma tenue, je me sens envahie par la magie de l'enfance. Le velours est doux au toucher, les couches de tulle légères et aériennes. Les ailes qu'on m'a prêtées me chatouillent les épaules et à chaque pas, je couvre le sol d'un nuage de paillettes.

– J'ai saupoudré les robes de poussière d'étoile, explique Coco. Pour qu'elles soient magiques !

J'ai beau ne pas trop y croire, je ne peux pas m'empêcher de sourire à mon reflet dans le miroir de la coiffeuse. Skye attache mes cheveux noir bleuté en deux petits chignons hauts qu'elle décore de nœuds en satin, puis Summer m'aide à enfiler les chaussons de danse et même Honey se penche pour me passer du blush pailleté sur les pommettes.

– Ça te va bien, commente Honey. Vraiment.

Ce doit être le plus beau compliment qu'on m'ait jamais fait.

Les filles se regardent dans la glace, ajustent leurs ailes et sortent sur le palier dans un tourbillon de rires et de baguettes magiques, pendant que je jette un dernier coup d'œil au miroir.

J'ai l'air à ma place... et c'est presque ce que je ressens.

Je ne peux plus m'arrêter de sourire.

Je me dépêche de rejoindre les autres en agitant mes ailes, laissant derrière moi une traînée de poussière d'étoile.

25

Les haut-parleurs diffusent *Sugar Sugar*, un vieux tube des années soixante que Mrs Mackie écoutait à Glasgow. Honey et moi traversons la pelouse et Shay vient à notre rencontre, tout sourire.

– Salut, dit Honey. Je croyais que tu devais bosser au centre nautique ?

– J'ai décidé de filer en douce, avoue-t-il. Pour une fois, ils n'auront qu'à se débrouiller sans moi. Mon père va criser quand il comprendra que je suis parti, mais tant pis. Je n'ai rien dit à Paddy, il croit qu'il a changé d'avis au dernier moment...

– Tu prends des risques, susurre Honey. Ça me plaît.

– J'espère que ton père ne va pas trop s'énerver, je dis.

Honey plisse les yeux.

– Pourquoi tu t'inquiètes comme ça ? Tu ne le connais même pas.

J'essaie de ne pas avoir l'air trop coupable.

– Non, c'est vrai. Désolée.

– Ça va, intervient Shay avec un haussement d'épaules. Pas la peine de stresser. Si jamais il se passe quelque chose, j'improviserai.

Il nous décoche un sourire charmeur.

– Au fait, vous saviez qu'il y avait des fées au fond de votre jardin ? Des vraies fées, je veux dire ?

– Fais gaffe, le taquine Honey. C'est top secret. Si tu en parles à quelqu'un, je serai obligée de te jeter un sort...

– C'est déjà fait, répond Shay.

Mais c'est vers moi que son regard se tourne. Honey s'en rend compte et un nuage assombrit ses yeux un instant, vite remplacé par une froide indifférence.

Mon cœur s'emballe sous l'effet de la panique, comme un oiseau affolé qui bat de l'aile contre une vitre. La trêve fragile qui s'était instaurée depuis quelques jours vient d'être rompue et soudain, je comprends pourquoi on ne pourra jamais être amies toutes les deux. Il ne se passe rien entre Shay Fletcher et moi, il n'y a rien que des rêves et des espoirs qui ne se concrétiseront jamais. Personne ne pourrait soupçonner quoi que ce soit.

Et pourtant, Honey a deviné. Peut-être même qu'elle sait tout depuis le début.

Elle passe un bras autour de la taille de Shay, comme

pour bien marquer qu'il lui appartient, et elle l'entraîne loin de moi en riant et en lui chuchotant quelque chose à l'oreille. Je leur tourne le dos, écarlate.

Je file retrouver Skye pour l'aider à transformer les marches de la roulotte en décor mystique de diseuse de bonne aventure. Un peu plus loin, la fontaine de chocolat gargouille sur un stand. Dans la cuisine, Charlotte a débarrassé toute trace du petit déjeuner et elle est en train de préparer les plateaux, les assiettes, les théières, les couverts, les tasses, les soucoupes et les verres à milk-shake. Le buffet est recouvert d'une demi-douzaine de gâteaux différents, tout droit descendus du paradis du chocolat.

À dix heures et demie, on sort les chocolats du frigo de l'atelier et on les apporte jusqu'au stand, où on les dispose en pyramides sur de jolies assiettes en porcelaine. Shay termine de régler la sono, papa décore son chapeau de feutre en accrochant des fèves de cacao tout autour, et enfile un grand tablier blanc. Je sors tout juste de la cuisine avec un plateau de chocolats quand une Jeep bleue se gare dans l'allée.

Un homme d'âge mûr en short et tee-shirt sur lequel est écrit Centre Nautique de Kitnor en jaillit, l'air menaçant.

– Il est où ? grogne-t-il. Je sais qu'il est ici. Comme d'habitude… mais ça va changer. C'est terminé. Je vais lui faire passer l'envie de revenir !

Il me regarde, prend un air dégoûté à la vue de mon tutu et de mes ailes de travers, puis il cherche quelqu'un de moins ridicule à qui parler. Papa apparaît dans l'encadrement de la porte, derrière moi. les bras chargés de caisses de chocolats.

— Vous cherchez Shay? demande-t-il poliment. Il nous a donné un sacré coup de main, aujourd'hui, en installant la sono. Nous vous sommes vraiment reconnaissants de vous passer de lui. C'est un chouette gamin!

Le père de Shay vire au rouge violacé.

— Vous vous foutez de moi? Il était censé travailler au centre! Il avait un groupe qui l'attendait à dix heures pour un tour en canoë. C'est le jour le plus chargé de la saison, et où est-ce qu'il est? Fourré ici avec votre bande de dégénérés, à jouer de la guitare pour votre fichu festival...

Papa sursaute.

— Oh non, ce n'est pas ce genre de festival. C'est pour le marathon culinaire, on lance notre entreprise de vente de chocolats...

— Ah ouais, et pendant ce temps-là, la mienne n'a qu'à faire faillite! Vous croyez qu'il m'intéresse, votre petit festival à la noix? On ne peut pas dire qu'il y ait foule, d'ailleurs... Mais bien sûr, vous avez quand même besoin que mon fils vienne faire la boniche!

— C'est lui qui s'est proposé, bredouille papa.

Et les gens vont arriver, enfin j'espère…

– Ouais, ouais, grommelle le père de Shay. Que les choses soient bien claires, Mr…. Vous n'êtes pas Mr Tanberry, si ? Donc, Mr Je-ne-sais-quoi, ça ne me plaît pas beaucoup que mon fils traîne chez vous jusqu'à pas d'heure. L'autre jour, il est rentré à deux heures du matin, et ce n'était pas la première fois. Mais il est où, d'abord, cet espèce de petit fainéant, menteur et bon à rien…

Shay sort d'entre les arbres, le visage sombre et les épaules basses. Il a tout entendu.

– Monte dans la Jeep, ordonne son père.

Shay obéit, les joues rouges.

– Attendez une minute, insiste papa, Mr Fletcher, c'est ça ? Il doit y avoir un malentendu. Apparemment, Shay a cru… Bon, je ne sais pas ce qu'il a cru, mais il voulait seulement nous aider. Vous ne pouvez pas venir ici et vous mettre à crier de cette façon…

– Oh si, je viens même juste de le faire ! aboie le père de Shay en faisant démarrer sa voiture, qui disparaît dans un crissement de roues.

– Pauvre Shay, dit papa.

Oui, pauvre Shay.

Dix minutes plus tard, Shay envoie un texto à Honey pour lui annoncer qu'il est puni pendant quinze jours.

– Son père lui a interdit de me voir! s'indigne-t-elle. Il devra travailler toute la journée et rester chez lui tous les soirs. C'est carrément inhumain! Quel monstre, ce type!

– Il va sûrement se calmer, intervient Charlotte. Quinze jours, ça paraît interminable quand on a quatorze ans, mais ça va passer vite. Tout va s'arranger.

– Y a intérêt, grogne Honey.

Mais on n'a pas trop le temps de s'apitoyer sur le sort de Shay et Honey, car la première fournée de visiteurs vient d'arriver. Je prends place derrière le comptoir avec papa, tandis que Honey et Summer sortent leurs carnets, prêtes à noter les commandes pour le café.

À partir de cet instant, je n'ai plus une seconde pour souffler. De plus en plus de voitures arrivent et un flot de touristes se répand dans le jardin. Heureusement que Coco a saupoudré nos robes de poussière d'étoile, parce que les fées en chocolat en ont bien besoin.

Avec ma pince, je sélectionne un à un les chocolats en fonction des parfums demandés. J'attrape vite le coup de main : replier le papier de soie, fermer la boîte, nouer le ruban, faire le total sur ma calculatrice, prendre l'argent, et rendre la monnaie avec application. Bientôt, il y a la queue devant le stand, puis c'est toute une foule qui attend pour acheter non pas une boîte, mais deux ou trois à la fois.

– Ils sont magnifiques, s'exclame une dame, et ces boîtes sont vraiment originales !

– Et ils sont délicieux...

– C'est tellement joli, ajoute une autre. Voilà une excellente idée de cadeau ! Vous faites aussi des grandes boîtes ?

– Pas de problème, je réponds. On peut vous proposer des chocolats pour toutes les occasions...

Skye doit avoir beaucoup de succès avec ses séances de prédictions chocolatées, parce que la plupart des gens viennent ensuite acheter une boîte du parfum qu'elle leur a recommandé.

Au café, Honey et Summer n'ont pas une seconde à elles. Comme les quatre tables à tréteaux sont pleines, les clients ont envahi le patio et feuillettent nos brochures en admirant le bassin aux poissons rouges, leurs assiettes et leurs tasses posées sur les genoux. Quand il commence à y avoir trop de monde qui attend pour s'asseoir, Honey attrape une brassée de couvertures de pique-nique qu'elle étale sur l'herbe avant de continuer le service.

C'est presque impossible d'approcher de la fontaine de chocolat, et on doit même envoyer une amie de Charlotte au village pour refaire le plein de fruits frais et de chamallows.

Dans l'après-midi, Honey nous amène deux journalistes, ce qui nous donne cinq minutes de répit, le temps que papa et Charlotte répondent à quelques questions et que les fées du chocolat prennent la pose avec les petites boîtes pour les photos. L'un des reporters travaille pour le journal local, mais l'autre écrit pour un des principaux magazines féminins du pays et pense consacrer tout un article à l'histoire de papa, de Charlotte et de leurs filles, les fées du chocolat.

Même Fred – qui a hérité des ailes de Coco – est pris en photo.

– On va devenir célèbres ! chuchotent Skye et Summer.

– Vous croyez ? demande Coco.

– Ouais, dit Honey. C'est cool, hein !

Elle sourit à ses sœurs, radieuse, mais ses yeux glissent sur moi comme si j'étais invisible.

26

Une partie de moi voudrait que l'excitation du festival dure toujours, sauf que mes pieds me font mal, j'ai un coup de soleil sur les épaules et mes ailes pendouillent misérablement… Heureusement, à partir de dix-sept heures, l'affluence commence à diminuer. On se met à ranger, à ramasser les déchets et à rassembler plats et assiettes pour les rapporter à l'intérieur.

On n'a qu'une envie : s'écrouler et souffler enfin, mais Charlotte nous motive.

– Allez, dit-elle. Si on nettoie maintenant, on n'aura pas besoin de le faire demain… et on pourra vraiment se reposer. D'accord ?

– Tu es dure, Charlotte Tanberry, soupire papa. Je ne suis même pas sûr de tenir encore debout. Je ne vais pas tarder à m'effondrer…

Charlotte hausse les sourcils.

– Trop fatigué ? Dommage. J'avais prévu des lasagnes

et une pavlova aux fraises. Et j'ai mis une bouteille de vin au frais. Les filles vont descendre à la plage pour se baigner et pique-niquer, alors on aurait pu en profiter pour déguster un petit dîner romantique en tête à tête, histoire de se récompenser après ces semaines de dur labeur. Mais bien sûr, si tu es trop fatigué...

Papa lève les mains en souriant.

– Fatigué, moi ? Au contraire... je bouillonne d'impatience !

Charlotte éclate de rire.

– C'est bien ce que je pensais... c'est marrant, hein ! Allez, les filles, au boulot, il faut qu'on débarrasse tout ça !

Une heure plus tard, le plus gros du désordre a disparu. Les tables à tréteaux et les chaises pliantes sont empilées dans l'atelier, les boîtes et les caisses vides remisées et la machine à laver entame le dernier essorage de son cycle.

À l'intérieur, une jolie nappe blanche recouvre la table de la cuisine, le lecteur CD diffuse un air de violon triste et Charlotte est en train d'allumer les bougies et de remplir deux verres de vin. Papa s'éclipse pour prendre une douche et revient vêtu d'un tee-shirt et d'un jean propres, les cheveux encore humides.

– Comme c'est romantique ! lance Honey en faisant la grimace.

– On a le droit d'être romantiques, répond Charlotte avec un grand sourire. On est fiancés ! En plus, on mérite bien une soirée de repos après cette journée éreintante. Surtout qu'on doit se lever à six heures et demie demain matin, pour le petit déjeuner du bed and breakfast ...

– Ouais, ouais. Je te rappelle juste que je vais chez papa demain. Il faudra que tu me déposes à la gare routière de Minehead ; mon car part à neuf heures moins cinq.

– Oh là là... Londres, c'est vrai. J'ai failli oublier, avec tout ce remue-ménage. Ton sac est prêt ? Je sais que tu n'y vas que pour trois jours, mais n'attends pas le dernier moment...

Honey hausse les sourcils.

– Stresse pas, maman. Ça fait longtemps qu'il est prêt. T'as oublié que je suis la plus organisée de la famille ou quoi ?

– Ça c'est clair, intervient papa. Tu as été géniale aujourd'hui. Je pourrai m'occuper des petits-déjeuners, Charlotte, si tu veux...

– OK. On partira vers huit heures, Honey. Maintenant... du balai, tout le monde ! Allez profiter des derniers rayons du soleil ! Je vous ai préparé deux paniers de pique-nique.

Skye, Summer et Coco font irruption dans la cuisine, les bras encombrés de serviettes et de maillots de bain. Elles attrapent les paniers et prennent de la vaisselle, des couverts et des timbales en métal dans le buffet.

– Allez! lance Coco. On descend! On peut emporter du coca?

– Beurk, râle Honey. Prends plutôt un jus de fruits.

– Prenez les deux, répond Charlotte. Cherry, tu peux porter les couvertures? Honey, les coussins de sol sont juste là…

Toutes les cinq, on traverse le jardin derrière Fred qui court en agitant la queue. Une fois le portail passé, on descend prudemment le petit sentier et ses marches taillées dans la falaise.

On étale couvertures et coussins sur le sable chaud. Soudain, le téléphone de Honey se met à sonner et elle répond d'une voix tout enjouée.

Je ne peux pas m'empêcher de me mordre la lèvre, ma bonne humeur soudain assombrie par une poussée de jalousie. Shay?

– Oh… je suis tellement contente de t'entendre! Bien sûr, bien sûr, papa… J'ai trop hâte de te voir… Je suis super impatiente d'être à demain!

Je respire. Même si Shay a parfaitement le droit d'appeler Honey, je suis soulagée de savoir qu'elle parle à son père, sans doute pour régler les derniers détails du voyage.

Elle s'éloigne pour discuter.

C'est seulement quand je vois Skye, Summer et Coco enfiler leurs maillots que je me rends compte que j'ai oublié le mien.

– Va le chercher, me dit Skye. Pas question que tu te défiles ! Dépêche-toi !

Elles se précipitent dans l'eau en riant et en poussant des cris pendant que je grimpe le sentier et cours prendre mon maillot et une serviette dans la roulotte. Quand je redescends, Honey est assise sur un rocher au soleil, presque cachée par la falaise, ses cheveux dorés étalés sur ses épaules. Malgré tout ce qui nous sépare, elle me paraît soudain un peu perdue, seule à l'écart du groupe.

Comme moi, avant.

Une fois sur le sable, je la regarde plus attentivement et je m'aperçois que ses épaules tremblent, agitées de sanglots. Mon cœur s'arrête de battre. On dirait que Greg Tanberry vient encore de faire faux bond à sa fille.

Je me retourne pour voir si Skye, Summer et Coco ont remarqué que Honey est en train de pleurer, mais elles sont trop loin et trop occupées à nager, s'éclabousser, rire et flotter dans les vagues argentées.

Je suis la seule à assister à la scène.

J'aimerais tourner les talons comme si je n'avais rien vu. Enfiler mon maillot et courir rejoindre les autres, l'air de rien. Mais je n'y arrive pas. J'ai trop souvent été à sa place, triste, perdue et en larmes parce que je voulais voir revenir ma mère alors que c'était impossible.

Alors je prends mon courage à deux mains et je m'approche de Honey. Elle est encore au téléphone et comme des fragments de conversation parviennent jusqu'à moi, j'hésite.

Cette fois, c'est à Shay qu'elle parle, d'une voix si pressante, si suppliante que je sais que je ne devrais pas écouter.

– Oui... je sais... je sais... mais s'il te plaît, Shay, chuchote-t-elle. Il s'est passé un truc horrible. Vraiment. J'ai besoin de toi, je te jure! S'il te plaît!

Elle se lève, toute tremblante, et met fin à la communication d'un geste machinal. C'est là qu'elle me voit; son visage change d'expression et le téléphone lui échappe des mains avant d'atterrir avec un joli plouf dans une flaque d'eau au milieu des rochers.

– Honey! je m'exclame bêtement. Ça va?

– À ton avis? Et qu'est-ce que ça peut te faire de toute façon?

– Mais je m'inquiète! Tu pleures...

Elle s'essuie les yeux d'un revers du bras, de l'eyeliner plein les joues et les cils encore perlés de larmes.

– Je ne pleure jamais, déclare-t-elle.

Je hoche la tête en lui tendant ma serviette de bain. Elle la prend, efface les traînées de maquillage puis relève le menton d'un air de défi.

– Il… il s'est passé un truc ? je demande.

– Rien de nouveau. Mon père a encore annulé. Il a un contretemps. Enfin, vu ce qu'il vient de m'annoncer, je devrais plutôt parler de catastrophe. Alors si je suis bouleversée, c'est normal, OK ?

Elle me fusille du regard et l'espace d'un instant, son masque tombe, révélant une immense douleur au fond de ses yeux. Ça ne la rend pas plus aimable, mais peut-être un peu plus facile à comprendre.

– Une catastrophe ? je répète. Qu'est-ce qui s'est passé ?

Honey écrase son poing contre sa bouche en secouant la tête.

– Tu crois vraiment que je vais te le dire ? Ça te plairait, hein ? Comme ça, tu pourrais te moquer de moi…

– Je ne ferais jamais ça !

– Oublie ce que je t'ai raconté, Cherry Costello. C'est pas tes affaires. Si tu veux vraiment m'aider, laisse-moi tranquille.

Je regarde Honey et ses ailes de fée qui s'affaissent tristement. Pendant un moment, j'ai envie de m'approcher d'elle et de la prendre par les épaules. Mais je sais qu'elle me repousserait. Je vois bien qu'elle ne veut pas de mon soutien.

Alors je retourne vers les couvertures étalées sur

le sol. Je n'ai plus du tout envie d'aller me baigner. À genoux dans le sable, je commence à déballer le contenu des paniers, à disposer la pizza, la quiche, les saucisses et les petits pains croustillants à côté des parts de gâteau, des beignets, des chips, des cacahuètes et du soda.

Au bout d'un moment, Skye, Summer et Coco sortent de l'eau et me rejoignent en riant. Elles attrapent des serviettes pendant que Fred bondit autour d'elles, s'ébroue et m'éclabousse d'eau glacée.

– C'était génial! déclare Skye. T'as raté quelque chose, Cherry!

– Oui, ça ne me disait plus trop, finalement.

– Bah, il y aura d'autres occasions.

– Hé, Honey! crie Coco en faisant signe à sa sœur. On mange! Viens! Il ne va plus rien rester!

– Plus tard, répond Honey.

Summer fronce les sourcils.

– Qu'est-ce qu'elle a?

Je me mords les lèvres.

– Je crois que le coup de fil... Peut-être que votre père a encore annulé son week-end? Elle n'a pas l'air bien.

Skye secoue la tête.

– C'est incroyable. Il fait le coup à chaque fois! Et comme d'habitude, il prévient au dernier moment. Y a pas pire.

– Surtout qu'elle était de super bonne humeur,

souligne Summer. Tu penses qu'on devrait aller lui parler ?

– J'ai essayé, mais je ne suis pas sûre qu'elle ait très envie de compagnie…

– Non, soupire Skye. On risque de se faire mordre si on y va maintenant. Il vaut mieux la laisser se calmer un peu…

– Elle finira bien par venir quand elle sera prête, murmure Coco, inquiète.

Un peu abattues, on attaque la pizza en essayant de tenir Fred à l'écart des saucisses. Tout à coup, Coco s'écrie :

– Mais… ça ne serait pas Shay, là-bas ?

Au loin, au milieu de la baie, une petite silhouette dans un canoë rouge pagaie vers la côte. Difficile de ne pas reconnaître les mèches blondes et le bonnet noir, même à distance. Quelques minutes plus tard, Shay touche le sable, saute du canoë et le tire sur les galets.

– Hé ! lance Skye. Je croyais que tu étais puni ?

– Honey m'a appelé. Elle a dit que c'était une urgence…

– C'est encore papa ! explique Summer. On dirait qu'il a annulé leur week-end.

Shay lève les yeux au ciel.

– D'accord. Eh bien, moi, j'ai fait le mur pour ça. Mon père est sorti au pub avec un copain alors j'en ai profité pour prendre un des canoës…

– Tu l'as piqué ? demande Coco, les yeux écarquillés.

– Pas vraiment. C'est une affaire de famille, après tout. Donc les canoës de mon père sont aussi à moi. Bon, je ferais mieux d'aller lui parler.

Il se dirige vers Honey, toujours assise sur les rochers au pied de la falaise. Serrés l'un contre l'autre, ils discutent avec animation. À un moment donné, ils ont l'air de se disputer, puis Honey pose sa tête sur l'épaule de Shay et je détourne les yeux.

On a presque fini de manger quand ils nous rejoignent enfin.

Honey fait preuve d'un entrain et d'une bonne humeur pas très naturels, mais personne ne le relève. Et on ne devinerait jamais que c'est à cause des larmes que ses yeux sont aussi brillants.

– Hé, je dis. On vous a gardé à manger…

Honey hausse un sourcil et se sert une part de pizza.

– Bon, il faut que vous sachiez que papa a annulé mon week-end chez lui. C'est pas grave… Je préfère largement rester ici avec Shay. En tout cas, Papa a dit qu'il rappellerait demain, après le petit déjeuner. Il veut vous parler.

Summer grimace.

– De quoi ? Il n'appelle jamais, d'habitude !

Honey hausse les épaules. Un éclair de douleur passe dans ses yeux, mais je ne suis pas sûre que les autres le remarquent.

– Il va changer de boulot. Mais il veut vous en parler lui-même. Bref. C'est nul Londres, de toute façon.

Elle se penche vers Shay qui s'écarte au même moment pour attraper des saucisses, comme s'il ne l'avait pas vue.

– Alors dites-moi, les filles, comment s'est passé le festival ? Vous vous en êtes sorties sans moi ?

– C'était trop génial, répond Summer. On a tous travaillé comme des dingues, on a vendu plein de chocolats, et maman et Paddy ont assez de commandes pour s'occuper pendant au moins un mois...

– J'ai fait un million de prédictions, raconte Skye. Et la fontaine au chocolat et le café ont super bien marché...

– On nous a pris en photo pour le journal ! s'écrie Coco. Déguisées en fées du chocolat !

– C'est vrai ? Essayez de ne pas m'oublier, hein, quand vous serez célèbres...

Honey éclate de rire et passe un bras autour de sa taille, mais Shay a un petit mouvement de recul et me fixe avec tant d'intensité que je préfère baisser les yeux. Quand je les relève, Honey me regarde d'un air interrogateur, comme si elle sentait qu'elle venait de rater quelque chose, sans vraiment savoir quoi. La culpabilité me ronge les entrailles comme du poison...

Quand on y réfléchit, ce n'est pas difficile de voir les fissures dans leur relation, des fissures qui pourraient faire s'écrouler tout l'édifice. Ça me remplit d'inquiétude, d'espoir, de culpabilité et d'un million d'autres émotions, toutes mélangées… surtout en ce moment.

Je vois Honey servir un verre de jus de fruits à Shay, qui secoue la tête et tend la main vers le coca. Je le regarde choisir une part de pizza plutôt qu'une part de quiche, du gâteau au chocolat plutôt qu'un beignet, des chips plutôt que des cacahuètes. Rien de ce que Honey lui offre ne lui convient, et quand elle lui caresse la main ou lui ébouriffe les cheveux, il la repousse d'un geste machinal.

Honey finit par s'en rendre compte.

– Je n'arrive pas à croire que ton père t'ait puni, lance-t-elle pour essayer de capter son attention. Franchement, il exagère. Tu n'as pas le droit d'avoir une vie ou quoi ?

– Apparemment non, soupire Shay. Il trouve que je passe trop de temps ici.

– C'est vrai, relève Skye en riant. Et alors ? Ça ne nous gêne pas. Mais c'est quoi ces histoires de nuits blanches ? Honey n'a que la permission de vingt-trois heures, et Paddy et Charlotte ne se couchent pas beaucoup plus tard, alors pourquoi est-ce que ton père raconte que tu restes ici jusqu'à une ou deux heures du matin ?

Shay me jette un regard coupable que Honey surprend. Ses yeux s'assombrissent. Il y a quelque chose qui la chiffonne, et elle ne va pas tarder à trouver quoi.

– Je vous ai dit, mon père est taré, répond-il avec un haussement d'épaules. Il invente des trucs. Qu'est-ce que je ferais dans le coin jusqu'à pas d'heure ? Tu as raison, Skye, vous dormez tous ! Et puis bon, la campagne du Somerset, ce n'est pas franchement le meilleur endroit pour faire la fête !

– C'est clair, acquiesce Skye. Mais il y a quand même des bons côtés. L'autre jour, Cherry voulait en savoir plus sur les grottes des contrebandiers, je lui ai dit que c'était toi le spécialiste des visites guidées !

Le visage de Shay s'illumine et il me sourit.

– Oh, j'y suis allé en canoë aujourd'hui, avec une bande de doryphores. Je t'ai déjà promis que je t'y emmènerai, Cherry, quand tu voudras...

Il ne termine pas sa phrase. Cette fois, Honey n'est pas la seule à avoir décelé son enthousiasme. Tout rouge et soudain très embarrassé, Shay essaie de se cacher derrière ses mèches.

– Enfin, un de ces quatre, quoi. Peut-être. Si j'ai le temps...

Trop tard.

Le regard de Honey me glace et j'ose à peine respirer, comme si rester immobile pouvait suffire à me rendre invisible. Évidemment, ça ne marche pas.

Honey nous dévisage l'un après l'autre et comprend enfin ce que j'avais trop peur d'admettre jusqu'ici.

Je lui plais.

Pas besoin d'être un génie. Si ça avait été n'importe qui d'autre, un garçon sans petite copine super canon qui se trouve être ma demi-sœur, par exemple, je n'aurais pas mis aussi longtemps à faire le rapprochement. Il faut dire que je n'ai jamais été très douée pour les devinettes.

Si je plais à Shay autant qu'il me plaît, mon plus beau rêve et mon pire cauchemar se réalisent en même temps. Mais vu la sensation de nausée qui m'envahit, j'ai comme l'impression que le cauchemar va prendre le dessus.

Honey plisse les yeux et redresse le menton.

– Alors, Cherry, commence-t-elle froidement, ton petit copain, celui dont tu m'as parlé l'autre jour, celui qui te manque tant… quand est-ce qu'il vient te voir ?

Je ressens une sorte de décharge électrique et les battements de mon cœur s'accélèrent. Honey sait très bien que j'ai inventé cette histoire. Alors pourquoi en parle-t-elle maintenant ?

Pour me punir, bien sûr. Quand on se met Honey Tanberry à dos, on le paye toute sa vie. Très cher…

– Ton copain ? dit Shay.

– Ton copain ? répète Skye. Tu ne m'en as jamais parlé…

– Il s'appelle comment, déjà ? insiste Honey. Scott, c'est ça ? J'ai interrogé Paddy, mais le seul Scott qu'il connaisse est un gamin à lunettes qui vivait dans l'appartement au-dessous du vôtre et qui laissait des barres de chocolat pour toi devant votre porte.

J'ai les joues en feu.

– N'importe quoi, je marmonne. Scott Pickles a sept ans...

– Ça me semble parfait, ricane Honey.

– Tu n'as pas dû comprendre. Je t'ai parlé de Scott et peut-être que... je ne sais pas, tu t'es fait des idées...

– Peut-être, admet-elle d'une voix claire et calme. Comme quand tu as dit que vous viviez dans un appartement luxueux. Alors qu'en fait, c'était un appart riquiqui et miteux, ce qui n'est franchement pas pareil. Ou quand tu as parlé de tes amis à qui tu allais tellement manquer qui allaient débarquer d'un jour à l'autre. Bizarrement, je crois que tu n'as reçu aucun coup de fil, aucune lettre, même pas un texto depuis que tu es ici...

Elle s'interrompt pour ménager son effet.

– Et puis le super boulot de manager de Paddy... On sait tous qu'il travaillait à la chaîne dans une usine où il triait les chocolats ratés. Tu es plutôt douée pour raconter n'importe quoi, pas vrai, Cherry ?

Skye, Summer et Coco me dévisagent, surprises et un peu gênées, ce qui n'est rien comparé à ce que je ressens. Si j'en avais le courage, je me lèverais, j'attraperais le canoë de Shay, je ramerais vers l'horizon et je ne reviendrais plus jamais.

J'ouvre la bouche pour me défendre, mais aucun son n'en sort.

Shay rompt le silence.

– Tu as fini, Honey ? Ou tu as encore d'autres vacheries à balancer ?

– C'est une menteuse ! s'écrie Honey. Vous ne comprenez pas, ou quoi ? C'est une menteuse, une tricheuse et une tarée. Elle vous a menti à tous, elle vous a embobiné avec ses histoires débiles, vous ne voyez pas ? Ça ne vous fait rien ?

– Laisse tomber, dit Skye à sa sœur.

– Tu vas trop loin, ajoute Summer.

– Arrête, fait Coco, les lèvres tremblantes.

– Mais, vous êtes idiotes ou quoi ? glapit Honey. Vous n'entendez pas ce que je dis ?

– Ce n'est pas ce que tu crois, je proteste.

Sauf que si, c'est exactement ça. J'ai déformé la vérité pour donner une meilleure image de moi.

– Alors… tu n'avais pas vraiment de petit copain chez toi ? demande Coco. Ou d'amis, ou de bel appartement ?

– Et tu n'as jamais pris de cours de danse, hein ? ajoute Summer. Je me doutais qu'il y avait un truc qui clochait.

– Je voulais que vous m'acceptiez. J'ai pensé que vous m'aimeriez mieux si j'étais… disons, un peu plus intéressante.

– On t'aimait déjà bien, souffle Skye. Tu n'avais pas besoin d'inventer tout ça.

Shay soupire.

– Parfois, les gens font des erreurs. Ils rêvent tellement qu'ils finissent par confondre leurs rêves et la réalité. Cherry n'avait aucune mauvaise intention.

Honey éclate d'un rire dur.

– Tu la trouves géniale, hein, Shay ? lance-t-elle, dégoûtée. Elle t'a bien eu. Comment ça se fait que tu t'énerves comme ça, d'abord ? Pourquoi tu prends sa défense ? Ce n'est pas ta copine, je te rappelle.

Lorsqu'il baisse la tête, la dernière bribe d'espoir s'éteint dans les yeux de Honey. Elle nous regarde l'un et l'autre et les pièces du puzzle s'emboîtent enfin dans son esprit.

Elle se tourne vers ses sœurs.

– Vous savez ce qui me dérange ? C'est de découvrir que mon copain restait debout jusqu'à une ou deux heures du matin. Parce qu'il n'était pas avec moi pendant tout ce temps. Il était avec Miss Parfaite ! Je me trompe, Cherry ? Shay ?

Je suis incapable d'affronter son regard, ce qui équivaut à un aveu.

– Ouah… murmure Coco.

– Pas possible, dit Summer.

Skye paraît inquiète.

– Elle ne ferait jamais ça. Dis-lui, Cherry. Elle se trompe, hein ?

Je baisse la tête en silence, rongée par la honte.

– Ce n'est pas ce que vous croyez ! s'exclame Shay. On est juste amis !

Les yeux de Honey lancent des éclairs.

– La ferme, Shay. Après tout ce que tu as fait...

Elle attrape la tasse de Shay et d'une main tremblante, lui jette le reste de son coca à la figure. J'essaie de l'en empêcher, mais je ne réussis qu'à dévier la trajectoire du liquide froid et sucré qui m'éclabousse en plein visage. Choquée, je tousse et crache avant d'enfouir ma tête entre mes mains.

J'ai une pensée pour Kirsty McRae et les macaronis au fromage qui lui dégoulinaient dans les cheveux. J'ai envie de pleurer.

L'espace d'une seconde, Honey a l'air embêtée. Puis elle s'écrie :

– Cherry ! C'est ta faute ! Et c'est encore moi qu'on va punir, comme tu le voulais depuis le début...

Elle lève la main et me gifle. Le souffle coupé par la surprise, je sens mes yeux se remplir de larmes.

– Je te déteste, Cherry Costello ! hurle Honey. Depuis que tu es arrivée, tu essaies de me piquer ma place. Et tu as bien failli réussir... Toi, Shay Fletcher, sors de ma vie. Je n'ai pas besoin de toi et je ne veux plus te voir.

Elle fusille tout le monde du regard.

– Ça n'a plus d'importance maintenant, mais j'avais prévu de rester longtemps chez papa. Je comptais m'installer là-bas. Pour de bon. Puisque apparemment personne ne veut de moi ici. Et bien sûr, comme d'habitude, tout est tombé à l'eau.

Elle se lève d'un bond, arrache ses ailes de fée et les jette dans le sable. Coco se met à pleurer et Summer et Skye, agrippées aux bras de leur grande sœur, la supplient d'attendre, de se calmer, de les écouter. Elles lui jurent qu'elles l'aiment, que personne ne pourra jamais la chasser ou la remplacer et qu'elles mourraient si elle quittait Tanglewood pour aller vivre à Londres.

Mais Honey n'écoute rien. Elle se libère et part en courant vers le sentier de la falaise pour regagner la maison, ses sœurs sur les talons. Le pauvre Fred s'élance à leur poursuite en aboyant.

À l'aide d'une serviette de bain, Shay essuie mon visage poisseux.

– Ça va? demande-t-il.

Je hoche la tête, même si ce n'est pas vrai. Ça n'ira plus jamais, désormais.

– Écoute, je ferais mieux d'y aller aussi. Elle a l'air hystérique…

J'ai une grosse boule douloureuse dans la gorge, mais je suis la seule responsable de mon humiliation.

Je regarde Shay grimper le sentier et se retourner au dernier moment pour me dire :

– Tout va s'arranger, Cherry. C'est promis.

Et là, je comprends que Shay est un menteur, lui aussi.

27

Certaines personnes ne retiennent jamais la leçon.

Alors que je m'étais juré de ne plus dire de mensonges, ils ont continué à s'échapper de ma bouche comme du sirop sucré et poisseux qui s'infiltre partout. Je voulais seulement m'intégrer dans cette famille, mais comme d'habitude, les mensonges ont suivi leur chemin et ont tout gâché.

Je repense à la voyante gitane du bureau de poste qui m'avait parlé d'un choix important. Maintenant, je comprends que je suis condamnée à toujours faire le mauvais. C'était si simple, pourtant : une nouvelle maman, des sœurs et un avenir... ou Shay. Mais je me suis trompée.

J'ai été trop gourmande : je voulais tout avoir.

Je suis la menteuse, l'exclue, la briseuse de couple... Et au bout du compte, Shay a couru derrière Honey. Pourquoi est-ce que ça ne me surprend même pas ?

Je ne sais pas si je vais réussir à surmonter ça.

Je suis vraiment nulle. J'ai cru que j'étais à ma place et que je me débrouillais bien, mais je me faisais seulement des idées. Charlotte ne sera jamais ma mère. Skye, Summer et Coco ne seront jamais mes sœurs. À la seconde où je suis tombée amoureuse de Shay Fletcher, j'ai renoncé à ce rêve.

Je n'ai jamais eu de famille, ou alors je ne m'en souviens pas. J'ai juste un tas de souvenirs emmêlés et un gros trou dans le cœur, là où devrait se trouver ma mère. Je croyais que papa m'aimait assez pour deux, mais je n'en suis plus si sûre.

Quand je pense à ce qu'il va dire quand il découvrira le pot aux roses, quand il apprendra que j'ai brisé en mille morceaux la nouvelle vie qu'il mettait tant de soin à nous construire... Moi qui voulais une famille, je ne me suis jamais sentie aussi seule de toute ma vie.

Mes yeux se posent sur le canoë, échoué sur le sable. Je me lève et commence à le tirer jusqu'à l'eau. Je pourrais le diriger vers le soleil couchant et disparaître sans laisser de traces, comme ma mère avant moi.

– Hé! hurle Shay depuis le haut de la falaise. Attends, Cherry! Qu'est-ce que tu fais? Attends! Attends-moi!

Je pousse le canoë dans les vagues. Une chose est claire, c'est Shay le cœur du problème. L'attendre ne résoudrait rien. Il revient au pas de course et soudain, je ne souhaite qu'une chose, m'éloigner de lui et de cet endroit au plus vite.

J'entre dans l'eau glacée, les ballerines marron toujours aux pieds. Je ne suis jamais montée dans un canoë. L'embarcation s'agite dangereusement et se remplit d'eau lorsque je grimpe à bord, mon tutu dégoulinant d'eau collé aux jambes. Je m'aide de la pagaie pour m'écarter du rivage, mais Shay est plus rapide.

Il me rejoint en courant et m'arrache la pagaie des mains avant de stabiliser le canoë.

– T'es dingue ! Reviens avec moi sur la plage.

– Je ne peux pas, je réponds entre mes larmes. Je ne veux pas. J'ai vraiment essayé, mais j'ai tout gâché... Je veux juste m'en aller. S'il te plaît...

– Cherry, je ne raconte pas n'importe quoi. Il va faire nuit et personne ne part en canoë dans le noir. C'est beaucoup trop dangereux !

– Je ne peux pas rester ici ! Tu ne comprends pas ? Je veux trouver une île magique sur laquelle tout le monde vit heureux et où personne ne me détestera. Je veux flotter sur la mer et attendre que le courant me porte jusqu'au Japon. Ou bien me cacher dans les grottes des contrebandiers jusqu'à la fin de ma vie ! Je m'en vais !

Shay a tout à coup l'air grave puis, avant que j'aie

le temps de comprendre ce qui m'arrive, il grimpe dans le bateau et nous propulse vers le large.

Le petit canoë tangue et se balance d'avant en arrière tandis que nous nous éloignons de la plage en silence.

– Qu'on soit bien d'accord, déclare Shay en enfonçant sa pagaie dans l'eau d'un côté puis de l'autre, d'un geste lent et régulier. On ne s'enfuit pas. On fait juste une balade en canoë, une toute petite balade, OK ? Dix minutes, pas plus. Si on part trop longtemps, Charlotte et Paddy vont s'en apercevoir et paniquer.

– Shay, ils ne remarqueront rien. Ils sont sûrement déjà bien occupés par le drame qui doit se dérouler chez eux. Tu parles d'un dîner romantique en tête à tête...

– Peu importe. Je suis le maître à bord de ce canoë, alors c'est moi qui décide. On ne s'enfuit pas. Ou bien juste dix minutes. D'accord ?

– Si tu veux...

Pendant un moment, on n'entend plus que le bruit de la pagaie dans l'eau. La mer est calme, le soleil disparaît peu à peu et tout est paisible, il flotte un parfum d'aventure et presque de danger. Je prends soudain conscience qu'un canoë n'est pas une embarcation très sûre. Dès que je me penche un peu sur le côté, il s'incline et s'agite. Si je laisse traîner ma main dans l'eau, il ralentit et vibre. Même quand je reste assise sans bouger, légèrement appuyée contre les jambes de Shay, le bateau continue à se balancer et à me rappeler que nous ne sommes pas sur la terre ferme mais à la merci de l'océan.

– J'aime bien ça. Le canoë. Je n'avais jamais essayé, je ne pensais pas qu'on se sentait aussi… libre.

– Possible, répond Shay.

C'est vrai que pour lui, les sorties en mer font partie des choses qu'on lui ordonne, pas de ses moments de liberté.

Le ciel s'assombrit au-dessus de nos têtes, mais on distingue encore, pas très loin sur notre gauche, la ligne noire de la côte. L'arc parfait d'un croissant de lune saupoudre les vagues de poussière argentée.

Mes soucis s'évanouissent peu à peu. L'obscurité s'infiltre dans les recoins où se terrent mes craintes et mes problèmes, et redessine le monde décevant qui nous entoure. Elle drape tout d'un manteau de mystère et de magie.

Je pourrais rester comme ça éternellement, à flotter sous le ciel de velours, mais Shay rompt le silence.

– Je te ramène chez toi, maintenant. La nuit est tombée… Je pensais qu'on aurait le temps d'aller jusqu'aux grottes, mais avec le clair de lune en face de nous, j'ai du mal à me repérer. C'est trop dangereux, Cherry. Mon père aurait une attaque s'il savait.

D'un coup de pagaie, il fait pivoter le bateau.

Le canoë s'incline un peu avant d'obéir, mais quelque chose nous repousse et Shay jure à mi-voix.

– Il y a du courant, c'est bizarre, on a dû parcourir plus de chemin que je le croyais. Accroche-toi, Cherry, il faut qu'on s'éloigne de là.

– Ne t'inquiète pas, je dis d'une voix rêveuse. Tout va bien…

– Non, répond Shay, inquiet. Il y a un problème…

Il pousse sur la pagaie de toutes ses forces et le canoë tourne à nouveau, mais le courant nous entraîne vers la terre et je n'y vois rien à cause du ciel noir à peine éclairé par la lumière du croissant de lune. Puis quelque chose racle le fond du canoë qui s'arrête, brusquement inondé par une vague. La pagaie se brise dans un craquement sec, la coque se renverse, et nous fait basculer dans l'eau glaciale… et l'inconnu.

28

J'ai appris à nager quand j'avais six ans. Papa m'emmenait toutes les semaines à la piscine. Assis dans les gradins, il me faisait signe de la main et levait le pouce chaque fois que je réussissais quelque chose. J'adorais cette piscine, l'odeur du chlore, les lumières, la chaleur et l'eau turquoise. Pas grand-chose à voir avec cet océan si froid qui m'étourdit, m'engourdit et essaie de m'entraîner vers le fond.

– Les rochers, hoquette Shay juste derrière moi. Fais attention… mais si on arrive à nager jusque-là…

Je me cogne le tibia contre une arête tranchante, mes mains glissent sur des algues gluantes, accrochent des berniques. Je réussis à me hisser sur un rocher et Shay me rejoint, me prend par la main puis me guide en trébuchant.

Il nous faut des siècles pour arriver jusqu'à la terre ferme. Il fait noir, la roche est parfois lisse, parfois coupante, se dresse au-dessus de l'eau ou disparaît sous la surface. On se blesse, on avance de côté comme des crabes, on plonge dans l'eau glacée et on remonte, les mains tremblantes, bleus de froid.

– Continue à parler, dit Shay à mon oreille. Continue, n'abandonne pas… On n'est plus très loin. Plus très loin…

– Je… j'arrive pas…

– Continue à parler. Parle-moi de Sakura, quand elle était petite, au Japon…

– Sakura… je répète en claquant des dents, transie jusqu'aux os, les doigts gelés. Je ne me souviens plus…

– Rappelle-toi, les fleurs de cerisier. Et le kimono et l'ombrelle de papier. Rappelle-toi…

Alors j'essaie, mais les souvenirs se défont dans ma tête et tout ce qui me vient à l'esprit, c'est les longues soirées dans notre appartement de Glasgow, blottie sur le canapé avec papa, à manger des chips en regardant la télé, pendant que Rex nous jette des coups d'œils impassibles depuis son bocal sur le rebord de la fenêtre. Pas de fleurs de cerisier, pas de kimono, pas d'ombrelle de papier, juste un terrain de jeux sous la bruine, et moi qui me tiens à l'écart d'un groupe de filles… Les visages changent avec les années, mais je reste toujours sur le côté.

En voulant attraper un rocher particulièrement glissant, je dérape, retombe en arrière et m'écorche un bras et le visage. Je me retrouve avec de l'eau glacée jusqu'à la taille, si glacée que je n'ai qu'une envie : me rouler en boule et me laisser mourir.

Une main froide saisit la mienne dans le noir, me tire vers le haut, puis un bras m'enlace et m'aide à remonter. L'espace d'un instant, j'ai vraiment l'impression de sentir un parfum de fleur de cerisier, un souffle chaud contre mon oreille, et d'entendre une voix murmurer des mots que je ne comprends pas, puis tout disparaît et je suis à nouveau seule.

Seule avec le goût salé de l'océan, l'odeur des algues, le bruit des vagues et Shay derrière moi, qui escalade les rochers, m'encourage à continuer et me dit que je me débrouille très bien.

– On y est, annonce-t-il enfin.

Main dans la main, on patauge dans l'eau peu profonde jusqu'au sable, sains et saufs.

Mais je ne sais pas vraiment où on est : cette petite bande de sable humide, entourée de roches sombres et dentelées au pied d'une falaise abrupte, n'a rien à voir avec la plage qui se trouve sous Tanglewood House.

– Les grottes des contrebandiers, dit Shay comme s'il lisait dans mes pensées. Finalement, nous y voilà...

Je tombe à genoux, épuisée.

– Shay, je suis désolée. C'est ma faute... On va avoir de gros problèmes... Le canoë... Ton père...

– Non, c'est ma faute. Je n'aurais jamais dû partir de chez moi, ni prendre le canoë... et surtout, je n'aurais pas dû t'emmener en mer. Je ne sais pas ce qui m'a pris. Si on s'en tire, mon père va me punir pour le reste de ma vie.

Bien que j'aie plus envie de pleurer que de rire, je plaisante :

– Jusqu'à quatre-vingt-treize ans ! Après, peut-être que tu pourras sortir pour les grandes occasions, comme le Noël de la maison de retraite ou les réunions de l'Amicale de la Crapette...

– C'est quoi, la Crapette ?

– Tu ne sauras peut-être jamais, je réponds dans un soupir. Vu que tu es puni à vie.

Il secoue la tête.

– J'aurais dû faire plus attention, quand même. C'est une règle de base : on ne sort jamais en canoë après le coucher du soleil. Et surtout pas sans gilet de sauvetage ! Pfff, maintenant je comprends mieux pourquoi.

– On aurait pu se noyer...

– On va bien. On n'a rien, OK ?

– OK... mais comment on part d'ici ?

Shay soupire.

– On ne peut pas, pas de nuit. Le sentier de la falaise est trop dangereux, il est fermé depuis des années...

Il extirpe son portable de sa poche.

– Il est fichu. Je crois qu'on n'a plus qu'à attendre…

On ne peut même pas prévenir nos familles pour les rassurer. Je me sens mal quand je pense à la catastrophe qu'on vient d'éviter et à la façon dont tout ça aurait pu tourner.

– Comment ils vont nous retrouver ? Tu crois qu'ils vont mettre du temps ?

– Je ne sais pas. C'est possible.

Il m'aide à me relever et on s'approche de la falaise, là où s'ouvre la grotte qui servait de cachette, il y a bien longtemps, au butin des contrebandiers.

Je suis Shay à l'intérieur.

Quand ma main frôle quelque chose dans le noir, je me retiens de hurler. Shay m'explique que la grotte est décorée avec des barils, des caisses en bois et un faux contrebandier du XVIIIe siècle, qui porte un vieux pardessus moisi et tient un pistolet à la main.

– Génial. Il ne manquait plus que ça…

Comme il n'y a rien d'autre à faire, on attend, assis par terre, le dos contre les tonneaux en bois. Je suis complètement congelée et au bord des larmes. J'ai l'impression que de la glace coule dans mes veines et ma robe de fée trempée me colle au corps. Une chose est sûre, elle ne contient plus un grain de poussière d'étoile. Je ne sens plus mes mains ni mes pieds mais, peu à peu, les sensations reviennent dans le reste de mon corps. J'ai les tibias couverts de bleus, la peau entaillée, et des plaies suintantes sous une croûte de sable et de sel. Mais je m'en fiche.

Shay attrape le vieux manteau râpé du mannequin et m'enveloppe dedans. Je n'arrête pas de trembler, jusqu'au moment où il me prend dans ses bras et me serre contre lui. Là, d'un seul coup, je ne sens plus le froid et plus rien n'a d'importance.

Le meilleur moyen de préserver la chaleur du corps, c'est de se blottir contre quelqu'un. C'est ce que font les alpinistes quand ils se retrouvent coincés dans la neige, ou les explorateurs en Antarctique, en cas de blizzard, quand ils n'ont presque plus rien à manger. C'est aussi ce que font les naufragés, comme nous.

Ça, je le savais. Je ne suis pas sûre, en revanche, qu'on soit censé se tenir la main, ni poser sa joue sur la poitrine de l'autre, si près qu'on entend son cœur battre. Enfin, peut-être que si. Peut-être que c'est normal après tout. Et peut-être que l'autre doit aussi poser ses lèvres contre votre oreille pour que vous sentiez la chaleur de son souffle.

Peut-être.

Mais je ne suis vraiment pas sûre qu'il faille s'embrasser.

Ça, à mon avis, c'est juste nous.

Quand Shay me soulève le menton et pose ses lèvres sur les miennes, le monde se met à tourner autour de moi et j'oublie tout ce qui m'est arrivé de pénible dans la vie. J'oublie le naufrage, la douleur et l'inquiétude, j'oublie le visage méchant de Kirsty McRae, la gifle de Honey et l'impression de rester éternellement sur la touche. J'oublie même cette autre chose, à laquelle je ne m'autorise pas à penser, cette chose qui me fait si mal et qui ne disparaît jamais.

Le baiser dure longtemps, et quand il s'arrête, j'ai chaud, le souffle court et le cœur qui bat très vite...

Shay me caresse le visage dans le noir, dessinant avec douceur le contour de mes paupières, de mon nez, de mes lèvres.

– Il faut que je te dise un truc, je souffle. Un truc important.

– Oui, quoi ?

Je prends une profonde inspiration.

– Ces histoires que je t'ai racontées à propos de ma mère, des fleurs de cerisier, du kimono, de l'ombrelle... ce n'était pas vrai. Ma mère est morte quand j'avais quatre ans. Elle avait un problème au cœur, personne n'était au courant et... elle est morte, comme ça.

– Oh, Cherry, murmure Shay contre mes cheveux.

– Quand j'étais petite, papa refusait d'en parler. Dès que je lui posais des questions, il devenait très triste... alors j'ai arrêté. J'ai commencé à me demander si j'avais mal compris, à me dire que ma mère était peut-être vivante, ailleurs... À force, je ne savais plus si c'était vrai ou si je m'imaginais tout ça. Je n'ai aucun vrai souvenir de ma mère. Pas de fête à Kyoto, pas de kimono, pas d'ombrelle. Maman et papa ont beaucoup voyagé avant ma naissance, mais ensuite ils se sont installés à Glasgow, et c'est là que j'ai toujours vécu.

– Ça ne change rien, dit Shay. Pas pour moi.

– J'ai reçu l'éventail en cadeau de Noël quand j'avais sept ans, et j'ai trouvé le kimono et l'ombrelle dans une boutique de fripes l'année dernière. Je ne sais pas pourquoi, mais je me sens plus proche de ma mère grâce à eux. C'est le genre d'objet qu'elle aurait pu me donner, si elle avait eu le temps…

Shay me caresse les cheveux.

– Le kimono n'a jamais senti les fleurs de cerisier, juste l'antimite et le renfermé. Pas étonnant que Honey l'ait balancé par la fenêtre. Et l'ombrelle a toujours été cassée, avec des couleurs délavées. C'étaient des inventions, des mensonges. Je crois que je me souviens vraiment des fleurs de cerisier, mais je n'en suis même pas sûre. De toute façon, c'était dans un parc à Glasgow, pas à Kyoto. Je suis désolée, Shay.

– Je savais que tu racontais des histoires, Cherry. Paddy a dit aux Tanberry dès le début que ta mère était morte, et je me doutais que tu n'étais jamais allée au Japon. Je ne savais même pas que j'étais censé croire à tout ça. J'étais juste content d'écouter.

Tes histoires sont très belles, tu devrais les écrire. C'est un don, de savoir créer tout ça…

Un don ? À Glasgow, les autres élèves et les profs n'étaient pas du même avis. Je me souviens très bien de Miss Jardine qui voulait m'envoyer chez le psy, et des autres qui levaient les yeux au ciel et s'éloignaient quand je leur racontais les exploits de ma mère à New York, Paris ou Tokyo. Ils me traitaient de menteuse et ils avaient raison. J'inventais n'importe quoi pour remplir le gros trou que la mort de ma mère avait laissé dans mon cœur.

Sauf que ça n'a jamais vraiment marché.

– Shay… tu crois que Honey voulait vraiment s'installer à Londres avec son père ? Et ne jamais revenir ?

– Peut-être. Ça doit faire partie du chantage qu'elle a imaginé pour obliger Charlotte à choisir entre elle et Paddy…

– Et maintenant son plan est tombé à l'eau. Pas étonnant qu'elle ait les nerfs.

Shay fronce les sourcils.

– Tout à l'heure, quand je lui parlais en tête à tête, elle n'arrêtait pas de dire que tout était fichu, que c'était fini, qu'elle avait perdu son père pour de bon…

– La pauvre…

– Oui, je la plains, mais je ne peux pas continuer à sortir avec elle, Cherry, parce que je n'y arrive plus. Tout le monde nous voit comme le couple idéal, mais c'est faux… On joue un rôle depuis le début, on n'est pas sérieux. Je ne sais même pas pourquoi elle m'a choisi; peut-être parce qu'elle me connaissait bien, ou parce que je plaisais à ses copines? Les filles ont l'air de me trouver mignon, je ne sais pas…

Je ne peux pas laisser passer ça.

— Non mais t'as fini? je lance d'un ton moqueur. Tu t'es vu? Tu as plutôt une tête de rat mouillé en ce moment!

Shay éclate de rire.

— Tu n'as jamais été sensible à mon charme légendaire, hein? D'ailleurs, c'est un des trucs qui m'ont plu chez toi! Tu es quelqu'un d'honnête…

J'écarquille les yeux et l'observe avec attention, mais non, il ne se moque pas de moi.

— Sérieux. J'ai l'impression de vraiment te connaître. Je sais ce que tu as vécu, et tu n'as pas peur de me confier tes rêves, tes espoirs, tout ça. Avec Honey, ce n'est pas pareil. Elle ne dévoile jamais rien. Elle ne peut pas, parce qu'elle est encore obnubilée par le départ de son père. À mon avis, elle ne va pas tarder à péter un plomb. Mais je n'ai plus envie de ramasser les morceaux.

Je presse la main de Shay.

— C'est avec toi que je veux être, Cherry, reprend-il. Ie n'y peux rien. C'est comme ça depuis le jour où je t'ai rencontrée.

Je souris, parce que maintenant, je sais que c'est vrai. À moins que je l'aie su depuis le début ?

– Je parlerai à Honey dès qu'on sera rentrés, continue-t-il. Je lui expliquerai tout pour qu'elle ne t'en veuille pas, pour qu'elle comprenne...

Mon sourire s'efface. Impossible que Honey comprenne ou me pardonne. Je n'ai aucun avenir avec Shay, aucun avenir ici, d'ailleurs... et je pourrai me raconter toutes les histoires que je veux, ça n'y changera rien.

29

À mon réveil, l'aube éclaire l'entrée de la grotte d'une lumière jaune rosé. Shay me tient toujours dans ses bras, la tête sur mon épaule. Le mannequin de contrebandier, dont le manteau élimé nous sert de couverture, nous regarde d'un air dément, son faux pistolet pointé dans notre direction.

Au loin, je distingue le bruit d'un bateau à moteur ; aussitôt, je réveille Shay.

– Il y a des gens qui arrivent. Je crois qu'on est sauvés…

Il se lève d'un bond, m'attrape par la main et sort en courant sur la plage. À la lumière du jour, on ressemble à des fantômes ou à des réfugiés, ou aux survivants d'un naufrage, ce qui est le cas finalement. Nos vêtements mouillés sont en lambeaux, nos bras et nos jambes écorchés, et nos yeux affreusement cernés.

– Salut, dit Shay en souriant. Miss Robinson Crusoé.

– Salut. Vendredi, c'est ça ?

– C'est ça.

Je vois approcher un canot blanc à moteur sur la mer argentée. Shay et moi agitons les bras en criant à en perdre haleine.

Le bateau nous voit et rejoint la plage par une habile manœuvre entre les rochers. Le père de Shay, lugubre, saute dans l'eau et patauge jusqu'à nous, Paddy derrière lui. Une seconde plus tard, papa me serre dans ses bras, me soulève et me fait tournoyer dans les airs.

– Ne me refais plus jamais ça ! dit-il, la bouche contre mes cheveux. Je te jure, Cherry, je ne le supporterais pas. J'ai déjà perdu ta mère… toi je ne peux pas. Jamais !

– Ça n'arrivera pas.

Pendant que papa me porte jusqu'au bateau, je jette un coup d'œil à Shay et reste bouche bée. Son père est en train de l'étreindre de toutes ses forces – le grand type grincheux et l'adolescent rebelle sont dans les bras l'un de l'autre… Puis il lui donne une tape dans le dos et s'écarte, en s'essuyant les yeux du revers de la main.

Shay grimpe à bord, me lance un gilet de sauvetage et en enfile un, lui aussi. Il a le teint gris et la mine fatiguée. Ses mèches toutes collées lui donnent un air de chien mouillé, mais le bonnet noir est toujours à sa place, à peine de travers.

Papa s'installe à l'arrière pour passer des coups de fil à la police, aux gardes-côtes et à Charlotte, tandis que Mr Fletcher démarre le moteur. Le canot repart vers le large, naviguant avec précaution entre les longues bandes de rochers que nous avons escaladées pendant la nuit.

Je frissonne rien qu'à les regarder.

– Je n'ai pas besoin de te dire que c'était complètement stupide, hein? aboie le père de Shay. J'espère que tu t'en rends compte tout seul! Tu sais combien de naufrages il y a eu dans cette crique, à l'époque des contrebandiers? Combien de personnes ont perdu la vie en essayant de contourner les rochers dans le noir?

Shay baisse la tête.

– C'est ma faute, j'interviens d'une petite voix.

Shay me prend la main et la serre très fort.

– Enfin, maintenant vous êtes sauvés, c'est tout ce qui compte, conclut Mr Fletcher en se retournant vers la barre. Dieu merci.

Shay me jette un coup d'œil.

– J'ai bien entendu? murmure-t-il. C'est qui, ce type? Et qu'est-ce qu'il a fait de mon père?

– Il t'aime.

Pour une fois, Shay ne me contredit pas.

– Ils ont retrouvé le canoë, m'explique-t-il. Il flottait, renversé, un peu au large de Kitnor. Ils ont dû croire…

Je n'ai même pas envie d'imaginer ce qui leur est venu à l'esprit.

– On était morts d'inquiétude, dit papa. Quand on s'est rendu compte de votre disparition, il faisait déjà nuit. On vous a cherchés partout. Et puis quelqu'un s'est souvenu du canoë, alors on a couru jusqu'à la plage et on a vu qu'il n'y était plus...

– C'est ma faute, je répète. Pas celle de Shay. J'étais bouleversée, je croyais que tout était fichu...

– Rien n'est fichu, rétorque papa. Plus maintenant, puisque tu vas bien. Mais la nuit dernière a été terrible. Les filles m'ont raconté ce qui s'était passé à la plage, et ce dont Honey t'a accusée...

Il nous regarde tous les deux d'un air interrogateur.

– On n'a pas fait exprès, s'excuse Shay. On ne voulait blesser personne.

Quant à moi, je me contente de croiser les bras en tremblant, rouge de honte.

Papa pousse un grand soupir.

– Il faut dire que Honey avait de bonnes raisons de craquer, sans parler de ce qui se passe entre vous. Elle a reçu un coup de fil de Greg...

– Oh, oui, dit Shay. Son père a encore annulé leur week-end et elle l'a très mal pris. Je sais. Elle m'a appelé et m'a demandé de la rejoindre...

Papa semble embêté.

– On pense qu'elle comptait aller vivre à Londres

avec son père, j'ajoute en me demandant si c'est une bonne idée. Pendant quelque temps, en tout cas. C'est pour ça qu'elle était déçue, hein?

— Oui, elle en a parlé, mais il y a autre chose. On vient de proposer un nouveau poste à Greg. En Australie. Ce n'est pas une nouvelle qui s'annonce comme ça, surtout pas au téléphone, mais bon, apparemment, ce n'est pas très surprenant de sa part. Il se défile toujours.

— En Australie? répète Shay. La pauvre, comme si Londres ne suffisait pas.

Je ne croyais pas pouvoir me sentir encore plus mal ou plus coupable, mais je me trompais. Je repense à la soirée à la plage, à l'air perdu de Honey, à ses larmes, à sa colère. Elle a évoqué une catastrophe, un désastre… Elle a même dit à ses sœurs que leur père allait les appeler pour leur parler de son nouveau travail. Maintenant, je comprends mieux.

Recevoir un coup de fil de son père et apprendre qu'on ne peut pas lui rendre visite parce qu'il s'apprête à déménager à l'autre bout du monde, ça doit faire sacrément mal. Mon histoire avec Shay, c'était la cerise sur le gâteau.

— Les filles étaient dans tous leurs états, évidemment. Et au milieu de tout ça, on s'est aperçu que vous manquiez à l'appel…

— Je suis désolée, je murmure. J'ai tout gâché, hein?

Papa passe un bras autour de mes épaules et me serre contre lui.

– C'est un fichu bazar, mais on va arranger ça. On fera avec. Comme toutes les familles.

– Sauf que Charlotte… et Skye et Summer et Coco… elles ne vont plus vouloir me parler !

– Comment ça ? Bien sûr qu'elles veulent toujours te parler. Elles sont malades d'inquiétude !

Puis on se tait pendant que le petit bateau à moteur ralentit et entre dans la baie de Tanglewood House.

Charlotte et les filles nous attendent sur la plage, le visage presque aussi fatigué, pâle et cerné que le nôtre. Elles agitent la main en criant et courent jusqu'au bord de l'eau où le bateau vient s'échouer. Toutes sauf Honey, qui reste seule sur le sable un peu plus haut.

Son regard bleu glisse sur moi, puis sur Shay. Elle voit sa main, qui enveloppe la mienne, et elle comprend tout. Un voile de tristesse passe dans ses yeux, puis son regard retrouve sa froideur impassible.

Je me lève et descends en titubant du bateau, aidée par Shay. Au dernier moment, il m'attire et me serre dans ses bras, lui, le garçon dont je rêve depuis des semaines, avec ses mèches blondes et sa guitare bleue, le garçon qui sent la nuit et l'océan.

– Courage, me murmure-t-il à l'oreille. Tout va s'arranger.

Cette étreinte en dit plus long que n'importe quelle

explication. Maintenant, c'est clair ; je sais que je ne pourrai plus jamais revenir en arrière.

Quand je m'écarte de lui, je m'aperçois que tout le monde nous regarde : Honey, bien sûr, mais aussi papa, Mr Fletcher, Charlotte, Skye, Summer et Coco. Leurs visages expriment le choc, la surprise, la consternation, l'ébahissement… sauf celui de Honey, qui ne montre rien. Pas de tristesse, ni de colère, aucune émotion.

Elle tourne brusquement les talons et s'en va.

Je dors toute la journée et une partie de la soirée, puis quand je me réveille, je trouve un médecin à mon chevet. Il dit qu'à part quelques coupures et quelques bleus, je n'ai rien de grave. Le sommeil est selon lui le meilleur des remèdes. Ensuite, deux policiers assis à la table de la cuisine me grondent gentiment et m'expliquent à quel point c'était idiot de partir en bateau dans le noir. Je les écoute puis, tête basse, je promets de ne plus jamais recommencer.

Après leur départ, Charlotte nous sert de la soupe à la tomate qu'elle a préparée exprès, parce que papa lui a dit que j'adorais ça. Je la mange sans lui avouer que je préfère la soupe en boîte, accompagnée de pain de mie à la margarine, et pas de petits pains aux céréales tout chauds, tartinés de beurre bio.

Honey ne vient pas dîner avec nous.

— Je suis désolée pour votre père, je dis à Skye, Summer et Coco. Vraiment désolée.

— Ça craint, admet Skye. Même s'il a toujours été nul.

Charlotte soupire.

— Greg n'aurait pas pu trouver de pire façon de vous l'annoncer, ni de pire moment, mais je dois reconnaître que c'est bien son genre. Comme s'il ne pouvait pas faire l'effort de venir ici et pour vous expliquer la situation...

J'avale une cuillerée de soupe.

— Tout est fini entre Shay et Honey, alors ? demande Coco. C'est toi sa copine, maintenant ?

Je sursaute.

— Je ne sais pas. Peut-être.

— Je croyais que tu le détestais, remarque Skye en fronçant les sourcils.

— Moi aussi...

Summer ose finalement aborder le sujet que les autres évitent.

— Honey est furieuse. Elle a passé la journée enfermée dans sa chambre, à pleurer en écoutant sa musique à fond. Elle ne laisse personne entrer. Ni moi, ni Skye, ni Coco, personne.

— C'est normal qu'elle souffre, dit Charlotte. Mais elle s'en remettra. Elle est plus forte qu'elle ne le croit. Elle finira par descendre.

Quand je serai morte, peut-être.

– Je vais aller m'excuser, je promets. Quand elle sera un peu calmée. Vous savez, je suis sincèrement désolée… pour Shay, Honey et les mensonges, pour tout.

– Je sais, souffle Charlotte en me caressant les cheveux.

Ça me donne envie de pleurer, parce que je ne mérite pas sa gentillesse et sa compréhension.

Elle sort un petit paquet plat emballé dans du papier bleu d'un tiroir et me le tend.

– Tu es une fille pleine d'imagination, Cherry. Une artiste, une rêveuse. Il faut juste que tu apprennes à utiliser tes talents à bon escient. Les mensonges ne sont des mensonges que si tu essaies de les faire passer pour vrais… mais si tu les présentes comme des histoires, des contes ? Tu peux alors imaginer tout ce que tu veux. Tu as vécu beaucoup de choses difficiles pour ton âge, et tu n'as pas terminé de mettre de l'ordre dans tout ça. Cela pourrait peut-être t'aider d'écrire des histoires..

En ouvrant le papier, je découvre un cahier vierge sous une couverture de soie rouge brodée de fleurs de cerisier. Je n'en ai jamais vu d'aussi beau.

– Oh… mais… merci, Charlotte !

– Quand j'avais ton âge, j'emportais un carnet partout avec moi. Je couchais mon cœur et mon âme sur le papier. Tu peux faire pareil, l'utiliser comme un journal, ou un livre de souvenirs, un endroit où faire le tri entre les rêves et la réalité. Écrire des histoires. Imaginer.

Je réfléchis à ce qu'elle vient de dire. Et si je regardais les choses autrement ? Si mes mensonges étaient plutôt des histoires, comme dit Shay ? Des fables, des contes, de l'imagination, de l'inspiration… une façon d'exprimer les sentiments que je porte en moi. Ils n'auraient plus rien de honteux ou de triste. Je pourrais même finir par en être fière, un jour.

– J'essaierai, promis ! Merci. Je n'arrive pas à croire que vous soyez toutes aussi gentilles avec moi alors que je vous ai menti et… pire.

Je caresse le papier crème du bout des doigts en retenant mes larmes.

– Les jeunes amours ne durent pas toujours, déclare Charlotte. Et crois-moi, Cupidon vise parfois très, très mal. Je ne vois pas comment tu aurais pu te retenir d'apprécier Shay et, de toute façon, qui dit que ça va durer, entre vous ? La situation est gênante, mais ce n'est pas la fin du monde.

– Je croyais que j'avais tout gâché. Je croyais que c'était fini… toi, papa, le mariage…

– Il faudrait beaucoup plus que ça, je peux te le promettre…

– Ils ont fixé une date pour le mariage, chuchote Coco. Le 1ᵉʳ juin. On va toutes être demoiselles d'honneur…

– Moi aussi ?

– Bien sûr ! s'exclame Charlotte avant de pousser un soupir. Écoute, c'est dommage que tu aies cru devoir mentir pour trouver ta place, mais je comprends. On a dû te paraître un peu rentre-dedans et Honey t'a compliqué la tâche dès le début. On veut juste que tu te détendes, que tu restes toi-même et… que tu fasses partie de la famille.

– On formera bientôt une *vraie* famille, renchérit Skye. Tu verras.

– On en forme déjà une, la corrige Charlotte. Ce n'est pas un morceau de papier qui va changer ça. C'est l'amour et l'intention qui comptent.

Je commence à me dire que c'est peut-être vrai. J'ai un père qui m'aime, une nouvelle belle-mère qui prend la peine de me préparer de la soupe à la tomate avec du basilic du jardin, et à la réflexion, c'est encore meilleur que la soupe en boîte. J'ai aussi une bande de demi-sœurs dont trois qui m'acceptent, voire qui m'apprécient. Elles savent que je ne suis pas parfaite, que j'ai volé le petit copain de leur sœur et collé une peur bleue à tout le monde. Elles n'approuvent pas, et pourtant, elles ont toujours envie de me parler. Enfin, je crois.

Et puis il y a la quatrième sœur. Elle m'a détestée dès le premier jour et me déteste encore, je le sais, même si je ne peux pas lui en vouloir. À sa place, j'aurais réagi de la même façon. J'aimerais lui dire que je suis désolée et que j'ai vraiment essayé d'empêcher tout ça, mais elle ne me croirait pas.

J'aimerais aussi pouvoir dire que je regrette, sauf que ce n'est pas le cas.

Comment le pourrais-je ? Je n'ai pas choisi Shay et il ne m'a pas choisie non plus. On n'a rien pu y faire. L'amour est une force qui nous dépasse, se joue de nous, provoque des crises et observe tranquillement les conséquences.

— Shay est puni, murmure Skye. Jusqu'à la fin des vacances. Tu aurais dû voir son père, hier soir... il hurlait et jurait et puis il s'est assis à la table de la cuisine et il a fondu en larmes. La mère de Shay lui a reproché d'être trop dur avec leur fils, et il a reconnu que c'était vrai.

Les choses vont peut-être s'arranger pour Shay. Je l'espère.

Quand je sors de la maison, la nuit est en train de tomber. Je m'assieds près du bassin et jette une pincée de nourriture à Rex. Cinq poissons rouges montent à la surface, agitent la queue, ondulent et font des remous dans l'eau ; au début, je n'arrive pas à reconnaître Rex. Je comprends soudain que tout change, et que parfois, ça a du bon. Mon poisson a des amis, maintenant, et un bassin, des nénuphars et un bel avenir devant lui.

— Je ne reverrai probablement pas Shay avant la rentrée, je confie à Rex. En cours. Ça ne va pas être facile, ce nouveau lycée, avec Honey qui me déteste… Je sens que je vais être populaire ! Enfin, ça ne me changera pas trop…

Rex plonge sous un nénuphar et réapparaît un peu plus loin. Il me jette un regard noir.

— Et puis Shay sera là, lui aussi. Je ne serai pas seule.

Je me lève et traverse la pelouse en direction des arbres et de la roulotte. Au dernier moment, je me retourne pour regarder Tanglewood House.

Tout en haut, une petite silhouette mince est blottie sur le rebord de la fenêtre ouverte, ses longs cheveux de Raiponce flottant au vent.

Honey m'observe comme une princesse du haut de sa tour, attendant un prince qui ne viendra jamais. Elle s'essuie les yeux du revers de la main et ouvre un peu plus la fenêtre. Pendant un moment, je crois qu'elle va m'appeler, me parler ou me hurler dessus, jusqu'au moment où j'aperçois un éclat argenté dans sa main.

Mon cœur s'arrête de battre et j'ouvre grand les yeux.

Les ciseaux s'ouvrent et se referment avec un claquement sec et sinistre.

Lentement, très lentement, de longues mèches de cheveux blonds et soyeux tombent par la fenêtre, comme des rubans dorés qui descendent en spirale et viennent se poser aussi doucement que des flocons de neige sur les graviers de l'allée. La scène se prolonge pendant cinq ou dix minutes et quand Honey repose enfin les ciseaux, ses magnifiques cheveux ont laissé la place à un crâne tondu et sévère, comme celui d'un prisonnier ou d'un malade atteint du cancer. Son regard croise le mien, lourd de sens, et ma poitrine se serre.

Je baisse les yeux. Il fait presque nuit et des lumières s'allument peu à peu dans les autres pièces. Un brouhaha joyeux me parvient de la cuisine, un rideau bouge dans une des chambres du bed and breakfast, j'entends de la musique, de la vie.

Alors, je me retourne et je m'enfonce sous les cerisiers pour rejoindre ma petite roulotte rouge.

Cherry Costello

❁

Timide, sage, toujours à l'écart
Elle a parfois du mal à distinguer le rêve
de la réalité
13 ans

Née à : Glasgow
Mère : Kiko
Père : Paddy

Allure : petite, mince, la peau café au lait,
les cheveux raides et noirs avec une frange,
elle a souvent deux petits chignons

Style : jeans moulants de toutes les couleurs,
tee-shirts à motifs japonais

Aime : rêver, les histoires, les fleurs de cerisier,
le soda, les roulottes

Trésors : kimono, ombrelle, éventail japonais,
une photo de sa mère

Rêve : faire partie d'une famille

Coco Tanberry

❊

Chipie, sympa et pleine d'énergie
Elle adore l'aventure et la nature
11 ans

Née à : Kitnor
Mère : Charlotte
Père : Greg

Allure : cheveux blonds et bouclés,
coupés au carré et toujours en broussaille,
yeux bleus, taches de rousseur, grand sourire

Style : garçon manqué, jeans, tee-shirts,
elle est toujours débraillée et mal coiffée

Aime : les animaux, grimper aux arbres,
se baigner dans la mer

Trésors : Fred le chien et les canards

Rêve : avoir un lama, un âne et un perroquet

Skye Tanberry

***

**Avenante, excentrique, indépendante
et pleine d'imagination
12 ans
Soeur jumelle de Summer**

Née à : Kitnor
Mère : Charlotte
Père : Greg

Allure : cheveux blonds jusqu'aux épaules,
yeux bleus, grand sourire

Style : chapeaux et robes chinés
dans des friperies

Aime : l'histoire, l'astrologie, rêver et dessiner

Trésors : sa collection de robes vintage
et un fossile trouvé sur la plage

Rêve : voyager dans le temps pour voir
à quoi ressemblait vraiment le passé..

Summer Tanberry

✳

Calme, sûre d'elle, jolie et populaire
Elle prend la danse très au sérieux
12 ans
Soeur jumelle de Skye

Née à : Kitnor
Mère : Charlotte
Père : Greg

Allure : longs cheveux blonds tressés
ou relevés en chignon de danseuse,
yeux bleus, gracieuse

Style : tout ce qui est rose...
Tenues de danseuse et vêtements à la mode,
elle est toujours très soignée

Aime : la danse, surtout la danse classique

Trésors : ses pointes et ses tutus

Rêve : intégrer l'école du Royal Ballet, devenir
danseuse étoile, puis monter sa propre école

Honey Tanberry

Lunatique, égoïste, souvent triste...
Elle adore les drames, mais elle sait aussi
se montrer intelligente, charmante,
organisée et très douce
14 ans

Née à : Londres
Mère : Charlotte
Père : Greg

Allure : longs cheveux blonds ondulés, yeux bleus,
peau laiteuse, grande et mince

Style : branché, robes imprimées, sandales,
shorts et tee-shirts

Aime : dessiner, peindre, la mode, la musique...
et Shay Fletcher

Trésors : ses cheveux, son journal, son carnet à dessin
et sa chambre en haut de la tour

Rêve : devenir mannequin, actrice
ou créatrice de mode

Les
recettes au
chocolat

Les petits fondants au chocolat et aux cerises de Cherry

Il te faut :

180 g de chocolat noir • 1 boîte de lait concentré • 40 g d'amandes concassées • 40 g de cerises confites coupées en morceaux • 1 cuillère à soupe d'extrait d'amande amère • des cerises confites coupées en deux (facultatif)

1. Recouvre de papier aluminium le fond d'un moule carré de 20 cm de côté.

2. Dans un saladier qui passe au micro-ondes, mélange le lait concentré et les carrés de chocolat.

3. Fais chauffer au micro-ondes 1 min 1/2 à 2 min, jusqu'à ce que le chocolat soit fondu. En mélangeant, tu dois obtenir une consistance lisse.

4. Ajoute les amandes, les cerises et l'extrait d'amande amère.

5. Verse la préparation dans ton moule et lisse la surface. Couvre et place au réfrigérateur jusqu'à ce que le fondant soit ferme.

6. Découpe-le en petits carrés que tu peux décorer de morceaux de cerises confites. Partage-les avec ta famille et tes amis... ou dévore tout !

Gâteau à la cerise et au chocolat fondu façon Cathy

Il te faut :

2 ramequins • 75 g de chocolat noir fondu, et un peu
en plus pour la décoration • 50 g de beurre doux fondu
• 2 œufs frais battus • 50 g de sucre en poudre
• 50 g de farine • 50 g de cerises au sirop dénoyautées
et coupées en morceaux • 2 cuillères à soupe du sirop
des cerises • du beurre pour graisser les moules

1. Mélange le chocolat, le beurre, les œufs et le sucre
   dans un saladier.
2. Ajoute la farine, les cerises et le sirop. Mélange
   jusqu'à obtenir une préparation lisse.
3. Beurre les ramequins et remplis-les aux trois quarts
   avec ta préparation en utilisant une cuillère.
4. Couvre chaque ramequin de film transparent et fais
   cuire au micro-ondes à puissance maximale pendant
   4 minutes ou jusqu'à ce que le gâteau soit gonflé
   et bien cuit.
5. Au moment de servir, démoule dans de petites
   assiettes et décore avec du chocolat fondu.

✱ Ta journée idéale, tu la passerais...

1. à visiter un marché aux puces
2. à te promener dans la campagne avec
   ton compagnon à quatre pattes préféré
3. blottie sur le canapé à regarder des films
   en noir et blanc avec ton copain
4. à faire les boutiques avec ta meilleure amie
5. à siroter des cappuccinos dans un café branché

✱ Le garçon de tes rêves est...

1. sensible et un peu artiste
2. les garçons ? quelle horreur !
3. à l'écoute... et un peu original
4. poli et intelligent
5. beau et populaire, sinon, quel est l'intérêt ?

✱ À qui parlerais-tu en premier de ton nouveau coup de cœur ?

1. à ta sœur, tu lui dis toujours tout
2. à ton chat, les animaux font les meilleurs confidents !
3. à ta meilleure amie
4. à ta mère, elle est toujours de bon conseil
5. à personne, mieux vaut garder ses secrets
   pour soi

❋ Ta matière préférée, c'est...

1. l'histoire
2. la biologie
3. le français, surtout les rédactions
4. les langues étrangères
5. le théâtre

❋ Tes cahiers d'école sont...

1. couverts de tissu à motif cachemire
2. un peu sales
3. remplis de petits dessins
4. propres, soignés et pleins de bonnes notes
5. rarement remis à temps aux professeurs

❋ Plus tard, tu voudrais devenir...

1. architecte d'intérieur
2. vétérinaire
3. écrivain
4. danseuse étoile
5. célèbre

✻ *Les gens te font toujours des compliments sur...*

1. ton indépendance, rien ne te fait jamais peur
2. ta gentillesse, pour toi, tout le monde a droit
   à un peu d'amour
3. ton imagination, même si parfois ça te crée
   des problèmes !
4. ta détermination, c'est en faisant qu'on apprend
5. ta forte personnalité, tu ne laisses personne se
   mettre en travers de ton chemin

✻ ✻ ✻ ✻ ✻ ✻ ✻ ✻ ✻ ✻ ✻ ✻ ✻

Tu as obtenu un maximum de 1 : Skye

Tu es sympa et extravagante, tes amis aiment ton côté bohème et ta passion pour tout ce qui sort de l'ordinaire.

Tu as obtenu un maximum de 2 : Coco

Une vraie mère nature avec la tête sur les épaules ! Tu n'es heureuse qu'en plein air, en compagnie de toute une ménagerie.

Tu as obtenu un maximum de 3 : Cherry

« Rêveuse » est ton deuxième prénom. Tu passes ton temps à inventer des histoires incroyables ; jamais à court d'idées, tu as toujours des choses excitantes à raconter. Après tout, un artiste peut tout se permettre !

Tu as obtenu un maximum de 4 : Summer

Passionnée et amusante, tu as bien l'intention de concrétiser tes rêves, soutenue à chaque instant par ta famille et tes amis.

Tu as obtenu un maximum de 5 : Honey

Populaire, intimidante ou solitaire... chacun se fait une image différente de toi. Essaie de t'ouvrir un peu plus aux autres et tu verras que les amis sont là pour t'aider à avancer.

L'auteur

Cathy Cassidy a écrit son premier livre à l'âge de huit ou neuf ans, pour son petit frère, et elle ne s'est pas arrêtée depuis.

Elle a souvent entendu dire que le mieux, c'est d'écrire sur ce qu'on aime. Comme il n'y a pas grand-chose qu'elle aime plus que le chocolat… ce sujet lui a longtemps trotté dans la tête. Puis, quand une amie lui a parlé de sa mère qui avait travaillé dans une fabrique de chocolat, l'idée de la série «Les Filles au chocolat» est née!

Cathy vit en Écosse avec sa famille. Elle a exercé beaucoup de métiers, mais celui d'écrivain est de loin son préféré, car c'est le seul qui lui donne une bonne excuse pour rêver!

N° éditeur : 10204028 – Dépôt légal : mai 2011
Achevé d'imprimer en février 2014 par Bussière
(18200 Saint-Amand-Montrond, France)
N° d'impression : 2007300